CUISINE CHINOISE ET AS[illegible]

Nouilles frites au porc et aux légumes (page 37)

DEGRÉ DE DIFFICULTÉ

Faible

Moyen

Élevé

COLLECTION BON APPÉTIT
Édition en langue française
Guy Cloutier Communications Inc.
DIRECTEUR DE LA PUBLICATION
Guy Cloutier
DIRECTRICE DE LA PRODUCTION
Irma Marin
SUPERVISION RÉDACTIONNELLE
Claudette Taillefer,
Marie-Josée Taillefer

TRADUCTION, ADAPTATION
Ricardo Larrivée, Brigitte Coutu
RÉVISION, CORRECTION
Chrystine Girard
COORDINATION
Renée Dupont
GRAPHISME
Louis Landry
INFOGRAPHIE
Daniel Pelletier
CONSULTANTE
Josée DiStasio

IMPRESSION
Imprimerie Transcontinentale Inc
PELLICULAGE
Film O Progrès
SERVICE À LA CLIENTÈLE
Louise Paris
DISTRIBUTION
Messagerie de presse Benjamin Inc
ÉDITEUR
Guy Cloutier Communications Inc.

LA COLLECTION BON APPÉTIT est publiée par Guy Cloutier Communications Inc., dont le siège social est situé au 4446, boulevard Saint-Laurent, bureau 900, Montréal, Québec, Canada, H2W 1Z5, dans le cadre d'une entente avec Murdoch Books, une division de Murdoch Magazines Pty Ltd, de Sydney, Australie.
Service à la clientèle Bon Appétit, de Montréal (514) 849-3322 ou de l'extérieur 1-800-265-5877
Dépôt légal 1995: Bibliothèque Nationale du Québec et Bibliothèque Nationale du Canada.

ISBN 2-9803880-6-8

Page couverture : Nouilles aux crevettes et au porc, p.17 (en haut); sauté de boeuf aux pois mange-tout, p.30 (à gauche); riz frit aux crevettes, p.38 (à droite)
Couverture arrière : Sauté de boeuf aux légumes, p.33

S O M M A

PARATHA (PAIN PLAT INDIEN), page 76

POULET TANDOORI, page 68

SOUPE AUX RAVIOLI CHINOIS, page 14

ROULEAUX IMPÉRIAUX VÉGÉTARIENS, page 11

I R E

RIZ FRIT INDONÉSIEN, page 58

CREVETTES CRISTAL, page 18

BROCHETTES DE PORC ÉPICÉ, page 54

CRÈME GLACÉE À LA MANGUE ET AUX PISTACHES, page 77

Nous avons eu beaucoup de plaisir à créer ce deuxième livre intitulé CUISINE CHINOISE ET ASIATIQUE, de notre collection étape par étape ! Et vous savez pourquoi ? Parce que, chemin faisant, nous avons réalisé à quel point les recettes contenues dans ce livre sont faciles à réaliser, elles ont du goût, elles sont colorées et demandent un certain doigté : avez-vous déjà essayé de savourer un bon riz chinois avec... des baguettes ? Vous verrez, en plus de faire connaissance avec une variété impressionnante de saveurs exotiques, vous vous découvrirez sans doute une dextérité insoupçonnée !

Nous avons inclus également une section complète sur la cuisine indienne: des recettes de dhals, de poissons et sans oublier le poulet tandoori.

願您多滋多味

(Bon Appétit)

Claudette Taillefer
Marie-Josée Taillefer

Les ingrédients de la cuisine asiatique

Avant d'entreprendre la cuisine asiatique, assurez-vous d'avoir quelques ingrédients de base. Heureusement maintenant, plusieurs supermarchés réservent un coin aux produits asiatiques. Lorsque possible, nous vous suggérons des substituts pour les ingrédients plus difficiles à trouver.

Anis étoilé (photo page 7)
Cette épice de couleur brun foncé possède une forme d'étoile remarquable. Elle possède un goût prononcé d'anis avec quelques touches de réglisse. Elle fait partie du mélange d'épices très populaire dans la cuisine asiatique: le cinq épices. Si vous ne trouvez pas d'anis étoilé à votre épicerie, allez voir du côté des épiceries fines et asiatiques. Un substitut: l'anis moulu.

Champignons de paille
(photo page 7)
Ces petits champignons ronds au goût léger sont vendus en conserve, dans les épiceries chinoises. Une fois la boîte ouverte, ils ne se conservent que quelques jours au réfrigérateur. On peut les remplacer par des champignons frais.

Champignons séchés
(photo page 5)
Les cuisiniers chinois préfèrent travailler avec des champignons séchés plutôt que frais. Avant de les utiliser, il faut les réhydrater. Il suffit de les couvrir d'eau bouillante puis de les laisser reposer de 20 à 30 minutes, jusqu'à ce qu'ils soient tendres et gonflés. Retirez les queues dures avant l'emploi. Ils sont souvent vendus en sachets dans les épiceries fines et asiatiques, ou dans la section des produits asiatiques dans les supermarchés.

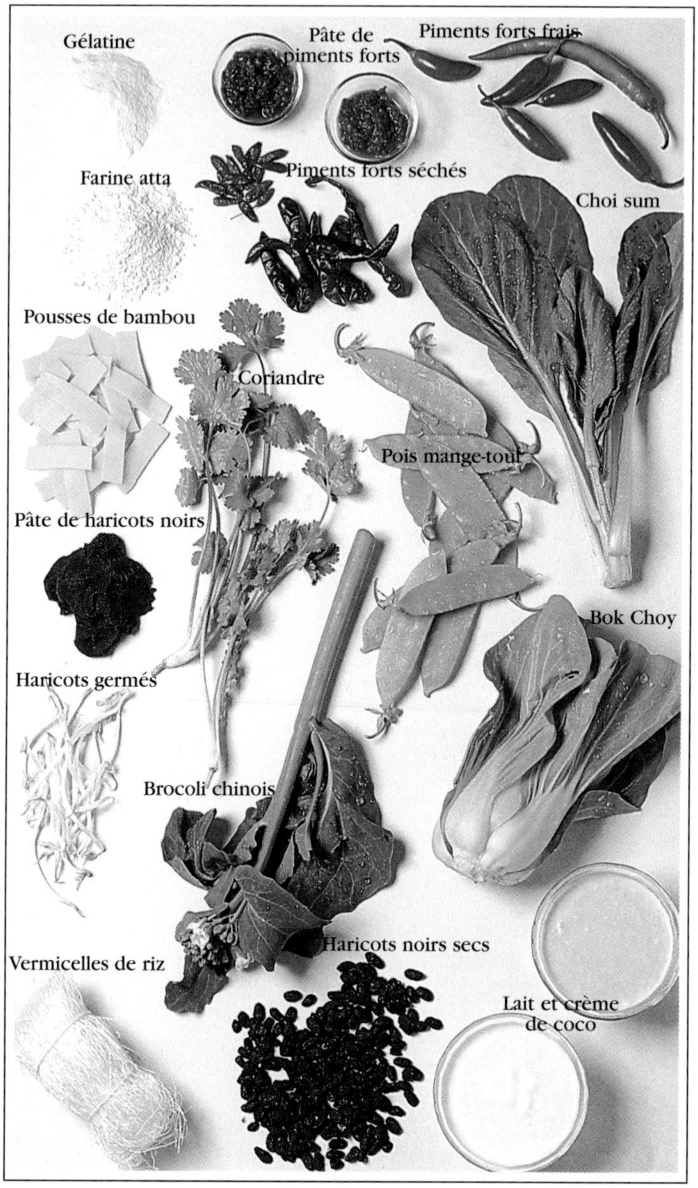

Châtaignes d'eau (photo page 7)
Les châtaignes d'eau sont vendues en conserve, dans les supermarchés et les épiceries orientales. Elles ajoutent une texture croquante très agréable dans les sautés et dans plusieurs mets chinois. Une fois ouvertes, on peut les conserver dans l'eau de sept à dix jours au réfrigérateur, en renouvelant l'eau à tous les jours.

Cinq épices moulues (photo page 5)
Ce mélange d'épices est intense et parfume les viandes et les volailles. Il est composé de grains de poivre, de cannelle, de clous de girofle, de fenouil et d'anis étoilé. Il a un goût prononcé, à la fois épicé et légèrement sucré. Vous trouverez ce mélange dans plusieurs supermarchés et bien sûr, dans les épiceries asiatiques. Certaines compagnies le vendent sous le nom de cinq épices chinoises. À défaut d'en trouver, créez votre propre mélange de ces cinq épices en proportions égales.

Citronnelle (photo page 5)
Plante très aromatique ayant le parfum et le goût du citron. Les tiges vertes sont ajoutées dans les soupes alors que l'extrémité blanche doit être hachée avant d'être employée dans tous les plats qui requièrent une délicate saveur de citron. La citronnelle fraîche est vendue dans les épiceries asiatiques. À ne pas confondre avec le baume de mélisse, une herbe fraîche à l'arôme de citron qu'on appelle à tort citronnelle. On pourrait remplacer la citronnelle par du zeste de citron.

Coriandre (photo page 4)
La coriandre fraîche ressemble à du persil plat (persil italien) de sorte qu'elle est parfois appelée persil chinois, mais son odeur et son goût sont bien différents du persil. Elle peut être remplacée par du persil plat mais la saveur du plat sera différente. La coriandre moulue ne convient pas. Le meilleur substitut est la purée de coriandre, vendue en petits pots dans la plupart des supermarchés, dans la section des fruits et des légumes frais.

Échalotes vertes (photo page 7)
Au Québec, on appelle communément échalote le légume qui ressemble à un poireau miniature doté de longues feuilles vertes. En fait, le nom suggéré par l'Office de la langue française est oignon vert, mais puisqu'il est mieux connu sous le nom d'échalote, nous utiliserons le terme échalote verte dans les recettes.

Écorces séchées de mandarines et d'oranges (photo page 5)
On les retrouve dans les épiceries orientales. Pour préparez vous-même des écorces séchées d'oranges, faites sécher de la pelure d'orange dans un four à basse température. Du zeste d'orange frais s'avère un bon substitut, utilisez-le en quantité moindre.

Farine atta (photo page 4)
Cette fine farine est utilisée pour la préparation des pains indiens. On peut se la procurer dans certains magasins spécialisés en produits asiatiques. Remplacez-la par de la farine de blé entier tamisée.

Fécule de maïs (photo page 6)
Ingrédient très utilisé pour lier les sauces.

Feuilles de lime séchées (photo page 6)
Elles sont utilisées en Inde, de la même façon qu'on emploie les feuilles de laurier dans la cuisine occidentale. Dans certains cas, on peut les remplacer par du zeste de lime fraîche.

Gélatine (photo page 4)
Sans saveur, ni couleur, elle donne une tenue ferme aux desserts. La faire gonfler dans l'eau froide avant de la dissoudre complètement au micro-ondes, au-dessus d'un bol d'eau bouillante ou en ajoutant de l'eau bouillante, en remuant.

Galanga (photo page 5)
Le galanga est une racine de la même famille que le gingembre. D'ailleurs, en apparence, elle lui ressemble, mais côté saveur, elle se rapproche de celle du pin. Elle se prépare comme la racine de gingembre, c'est-à-dire qu'il faut l'éplucher et la râper avant de l'ajouter dans les soupes et les plats thaïlandais. On peut remplacer le galanga par la racine de gingembre.

Garam masala (photo page 5)
Le garam masala est un mélange indien de plusieurs épices: cumin, clou de girofle, coriandre, cannelle, poivre noir, muscade. À défaut d'en avoir, vous pouvez le remplacer par du cari ou faire votre propre mélange. Il suffit de broyer 2 c. à table (30 ml) de poivre noir, 1 c. à table (15 ml) de cumin, 2 c. à thé (10 m) de grains de coriandre, 1 c. à thé (5 ml) de clou de girofle, une pincée de muscade et un bâton de cannelle.

Ghee (photo page 5)
Le ghee est du beurre clarifié, ce goût riche et caractéristique de la cuisine de l'Inde du Nord. Pour le préparer, il faut chauffer du beurre dans une casserole jusqu'à ce qu'il mousse. Puis, avec une cuillère, retirez la mousse formée à la surface et versez le beurre chaud dans un bol. Jetez les particules solides qui se trouvent au fond de la casserole. Ce beurre clarifié a l'avantage de supporter une chaleur intense sans brûler.

Gingembre frais (photo page 5)
Cette racine doit être épluchée avant d'être hachée finement ou râpée. Elle est disponible dans les supermarchés. Choisissez-la dodue, ferme et sans meurtrissures. Elle se conserve au réfrigérateur, dans le tiroir à légumes. À ne pas remplacer par du gingembre séché moulu.

Graines de moutarde (photo page 6)
Les graines de moutarde brun foncé sont plus fortes que les blanches. Elles sont utilisées dans la cuisine indienne. Les blanches sont vendues dans les épiceries alors que les noirs et les brunes se trouvent dans les magasins d'aliments naturels et dans les marchés asiatiques.

Haricots germés (ou fèves germées) (photo page 4)
Ces petits germes ajoutent du croquant aux plats sautés. Ils sont disponibles frais dans les supermarchés. Recherchez les germes fermes, blancs et croquants. Les haricots germés sont aussi vendus en conserve. Avant de les utiliser, jetez la saumure, rincez-les et faites-les tremper dans de l'eau glacée pendant 30 minutes pour améliorer leur texture.

Haricots noirs (photo page 4)
Les haricots noirs sont vendus en conserve. S'ils ne sont disponibles que séchés, en vrac, faites-les bouillir en les couvrant d'eau salée et en les laissant mijoter environ 45 minutes, ou jusqu'à tendreté.

Huile d'arachide (photo page 6)
Cette huile à l'odeur délicate et caractéristique d'arachides supporte très bien la chaleur vive de sorte qu'elle s'avère un bon choix pour les sautés et la friture. Conservez toutes les huiles hermétiquement au frais et à l'abri de la lumière.

Huile de sésame (photo page 7)
Cette huile est tellement parfumée qu'une petite quantité suffit pour aviver les saveurs. Les cuisiniers chinois l'utilisent souvent en fin de cuisson pour ajouter une touche raffinée.

Lait et crème de coco (photo page 4)
À ne pas confondre l'eau, le lait et la crème de coco. L'eau de coco est le liquide contenu dans la noix de coco. Le lait de coco, plus velouté, et la crème de coco, riche et crémeuse, sont vendus en conserve dans certains supermarchés et dans les épiceries asiatiques. À défaut de lait de coco, faites bouillir 2 1/2 tasses (625 ml) de lait et 1 tasse (250 ml) de noix de coco rapée et déshydratée pendant 10 minutes. Passez le mélange dans un tamis fin en pressant pour recueillir le plus de liquide possible. Procédez de la même façon avec de la crème 35% pour obtenir de la crème de coco.

Légumes chinois
(photo page 4)
Riche en fer et en vitamine C, les légumes verts sont très appréciés des Chinois. Le bok choy, le brocoli chinois, les pois mange-tout et le choi sum (sorte de feuilles d'épinards). peuvent être remplacés par des épinards frais.

Limes et feuilles de limier
(photo page 6)
La lime parfume la cuisine indonésienne et plusieurs plats d'Asie. Les feuilles de limier sont utilisées pour donner une saveur acidulée aux caris et aux plats de poissons thaïlandais. Elles sont souvent difficiles à trouver. Utilisez alors du zeste de lime.

Menthe fraîche
(photo page 6)
Très populaire dans la cuisine indienne, la menthe fraîche est difficilement remplacée par de la menthe séchée. Le meilleur substitut est la menthe en purée vendue en petits pots dans les supermarchés, au comptoir des fruits et des légumes. Certaines recettes asiatiques requièrent de la menthe vietnamienne, une herbe forte et poivrée, disponible dans les épiceries orientales.

Nouilles (photo pages 5 et 6)
Les nouilles, préparées avec différentes farines, se présentent sous plusieurs formes et grosseurs, fraîches ou séchées. Les nouilles de riz sont un petit délice avec les sautés et se servent comme le riz nature. Les vermicelles de riz sont des nouilles fines et transparentes utilisées dans plusieurs plats salés, plus particulièrement dans les soupes. Lorsque les nouilles de riz sont plates et larges, on les appelle baguettes de riz. Quant aux nouilles aux oeufs, elles peuvent être frites ou servies nature en accompagnement.

Pâte à rouleaux de printemps
(photo page 7)
Fines feuilles de pâte vendues surgelées dans les épiceries asiatiques qu'on utilise pour préparer les rouleaux de printemps non cuits ou frits. Les rouleaux impériaux frits sont plus connus chez nous et se composent de pâte à egg roll disponible surgelée dans les supermarchés. Faites-la décongeler avant de séparer les feuilles les unes des autres. Prenez soin de garder les feuilles de pâte sous un linge humide pendant la préparation des rouleaux.

Pâte à ravioli chinois (à wonton)
(photo page 7)
Ces carrés de pâte sont vendus dans les supermarchés au comptoir des produits surgelés. On utilise cette pâte pour préparer les délicieux ravioli contenus dans la soupe communément appelée soupe wonton et les dumplings cuits à la vapeur.

Pâte de crevettes
(photo page 7)
Dans le sud-est asiatique, on utilise beaucoup cette pâte brun foncé pour rehausser la saveur de plusieurs plats. Elle possède une odeur et un goût prononcé de crevettes à ce point tel qu'il suffit d'une quantité infime pour obtenir l'effet désiré. On la trouve dans les épiceries asiatiques. Garder au réfrigérateur une fois ouvert. Comme substitut, utilisez de la pâte aux anchois.

Pâte de haricots noirs
(photo page 4)
Cette épaisse pâte de haricots écrasés et fermentés peut être remplacée par des haricots noirs en conserve, salés et écrasés ou encore par de la sauce aux haricots noirs. Elle est indispensable pour certains plats sautés en sauce aux haricots noirs.

Pâtes de piments forts
(photo page 4)
Vendues en pot, en conserve ou en tube dans les supermarchés et les épiceries spécialisées en produits asiatiques, les pâtes de piments forts sont un ingrédient à avoir toujours sous la main pour mettre du piquant dans les recettes. Les plus connues sont la harissa et la sambal oelek (photo page 6 et 7). À conserver au réfrigérateur.

Pâte de sésame
(photo page 7)
Une fois moulues, les graines de sésame forment une pâte épaisse, un peu comme le beurre d'arachide. Le tahini est une pâte de sésame vendue dans les magasins d'aliments naturels et les épiceries orientales.

Pâte de tamarin
(photo page 7)
La pâte de tamarin est utilisée dans les recettes asiatiques pour donner une saveur acide. Son parfum est extrêmement fort, c'est pourquoi un soupçon suffit. Le jus de citron constitue un bon substitut.

Piments forts
(photo page 4)
Les piments de différentes formes et couleurs sont maintenant disponibles presque toute l'année dans les fruiteries. Soyez vigilant en manipulant les piments. Par exemple, évitez de passer vos mains sur le visage. En règle générale, plus les piments sont petits, plus ils sont forts. Les piments séchés sont de bons substituts. Si vous aimez les sensations fortes, vous pouvez aussi opter pour le chili broyé ou la cayenne.

Pousses de bambou
(photo page 4)
Les jeunes pousses tendres qui apparaissent à la base du bambou sont cueillies, blanchies puis mises en conserve. Une fois la boîte ouverte, conservez-les dans un contenant rempli d'eau froide renouvelée tous les jours; elles se conserveront ainsi presque une semaine.

Riz (photo page 6)
Il existe deux grandes variétés de riz. Le riz à grains longs, le préféré des Nord-Américains puisqu'il reste sec et léger une fois cuit, et le riz à grains courts. Si vous avez déjà essayé de manger du riz avec des baguettes, vous comprendrez pourquoi les orientaux préfèrent celui à grains courts. C'est un riz plus blanc, riche en amidon et donc plus collant. Lequel choisir? C'est une question de goût et surtout d'usage. Pour préparer un pilaf, une soupe ou du riz frit, celui à grains longs convient parfaitement. Pour des croquettes, un pouding, des sushis ou du riz nature pour manger avec des baguettes, celui à grains courts est préférable.

Safran (photo page 6)
Pour obtenir une livre (500 g) de safran, il faut cueillir près de 70 000 stigmates de fleurs de crocus. Vous comprendrez pourquoi c'est l'épice la plus coûteuse au monde. Si vous n'avez pas de safran sous la main, le curcuma s'avère un bon substitut.

Sauce aux huîtres
(photo page 6)
Cette sauce brune est composée d'huîtres, de sel, d'épices et parfois d'amidon de maïs et d'un colorant. Malgré son nom, elle ne goûte pas le poisson. Elle est disponible dans certains supermarchés et dans les épiceries asiatiques. Elle est souvent utilisée dans la cuisine chinoise, spécialement dans les plats de légumes. À conserver au réfrigérateur.

Sauce de poisson
(photo page 5)
Claire et très salée, la sauce de poisson est utilisée pour mettre en valeur le goût des autres ingrédients et non pas pour leur donner un goût de poisson. On peut en trouver plusieurs sortes, les deux plus connues sont la sauce de poisson vietnamienne, le nuoc-mam, et celle thaïlandaise, le nam pla. Les épiceries asiatiques de même que plusieurs supermarchés sauront vous approvisionner. Dans bien des cas, on peut la remplacer par de la sauce soya.

Sauce hoisin (photo page 5)
Sauce brune épaisse et sucrée à base de soya, de sucre, de vinaigre et assaisonnée d'ail, de piments et d'épices. Elle sert d'assaisonnement et de sauce-trempette pour le canard à la pékinoise. Elle est vendue en pot ou en bouteille. Une fois ouverte, elle se conserve plusieurs mois au réfrigérateur.

Sauce soya (photo pages 5 et 7)
Indispensable en cuisine asiatique, on trouve deux sortes de sauce soya: la sauce claire vendue dans les supermarchés, et la foncée, disponible dans les épiceries asiatiques. Toutes deux salées, il faut les utiliser avec parcimonie. La sauce soya épaisse est moins connue. Elle est plus sucrée. On l'utilise souvent dans les plats de nouilles.

Sucre de palme
(photo page 6)
Fait à partir de la sève des palmiers, le sucre de palme doit être râpé, broyé ou écrasé. On peut le remplacer par de la cassonade.

Tofu frit (photo page 5)
Vendu réfrigéré dans les épiceries asiatiques, le tofu frit rehausse et complète les sautés de légumes. On peut soi-même faire frire des cubes de tofu ferme dans de l'huile d'arachide.

Vermicelles de riz
(photo pages 4 et 6)
Ces nouilles fines faites de farine de riz sont vendues dans les supermarchés et les épiceries orientales. On les fait tremper une dizaine de minutes dans de l'eau chaude et dans certains cas, il suffit de les faire bouillir 2 minutes. Si vous devez les cuire à grande friture, ne les faites pas tremper au préalable.

Les techniques et le matériel de cuisson de la cuisine asiatique

LE MATÉRIEL DE CUISSON

LE WOK : UN INDISPENSABLE

Le wok est l'ustensile principal de la cuisine chinoise. Les côtés évasés permettent de remuer les aliments rapidement et d'utiliser une quantité minimale d'huile. Comme le feu reste vif, la cuisson se fait rapidement et préserve ainsi la couleur, les saveurs, la texture croquante et la valeur nutritive des légumes. Si vous n'avez pas de wok, utilisez une grande poêle.

Il existe plusieurs types de wok. Le wok traditionnel doit être déposé sur un pied de soutien, celui-ci étant directement déposé sur la cuisinière. Ce pied de soutien est de forme ronde pour laisser circuler l'air librement et ainsi assurer une répartition égale de la chaleur. On trouve également des woks électriques. Par contre, le contrôle de la température y est plus lent. Un couvercle en forme de dôme est très utile. Il vous permettra d'utiliser votre wok non seulement pour faire sauter les aliments, mais aussi pour les braiser ou les cuire à la vapeur.

Si vous possédez un poêle à gaz, vous remarquerez que la chaleur est instantanée et demeure idéale pour la cuisson au wok. Et comme la température de cuisson est cruciale, vérifiez bien la température du wok avant d'y ajouter les aliments. Mettez votre main au-dessus du wok. Si vous sentez bien la chaleur, il est prêt pour la cuisson et vous pouvez ajouter les aliments dans l'huile. Les légumes perdront leur croquant si le wok n'est pas suffisamment chaud.

MATÉRIEL DE CUISINE SUPPLÉMENTAIRE

Un étuveur en bambou - Pour la cuisson des poissons, des aumônières et des légumes, rien de mieux que la cuisson à la vapeur. Les Chinois utilisent un étuveur en bambou, soit des paniers qui existent dans plusieurs tailles et qui s'emboîtent les uns sur les autres. Ils sont peu coûteux; on les trouve dans les magasins chinois.

Une cuillère en bois - Évitez les ustensiles en plastique, ils risquent de fondre à chaleur vive. Les ustensiles métalliques risquent d'abîmer le fond du wok en téflon.

Une cuillère trouée - Pour retirer les aliments de l'huile ou du bouillon.

Des couteaux bien aiguisés - Les cuisiniers chinois passent plus de temps à préparer et couper les ingrédients qu'à les cuire. Munissez-vous de bons couteaux et d'une planche à découper.

L'ENTRETIEN DU WOK

Les woks peuvent être en métal ou recouverts de téflon. La plupart des woks en métal sont recouverts d'une mince couche de laque pour empêcher la corrosion avant l'achat. À l'achat, il faut donc leur donner un traitement particulier pour retirer cette laque. Il suffit de remplir le wok d'eau froide, d'y ajouter 2 c. à table (30 ml) de bicarbonate de soude, puis de porter rapidement à ébullition et de laisser bouillir pendant 15 minutes. Rincez à l'eau et essuyez bien. Huilez tout l'intérieur du wok avec un papier absorbant imbibé d'huile d'arachide. Le wok en métal requiert un entretien constant. Après la cuisson, nettoyez-le bien avec de l'eau et du savon, puis essuyez-le avec du papier absorbant imbibé d'huile d'arachide jusqu'à ce qu'il n'y ait plus aucune trace sur le papier absorbant. Les woks à revêtement antiadhésif sont plus faciles d'entretien, ils ne demandent qu'un lavage à l'eau savonneuse et un séchage au linge sec. Ne récurez pas les surfaces antiadhésives avec des abrasifs et n'utilisez que des ustensiles en bois pour éviter de les endommager.

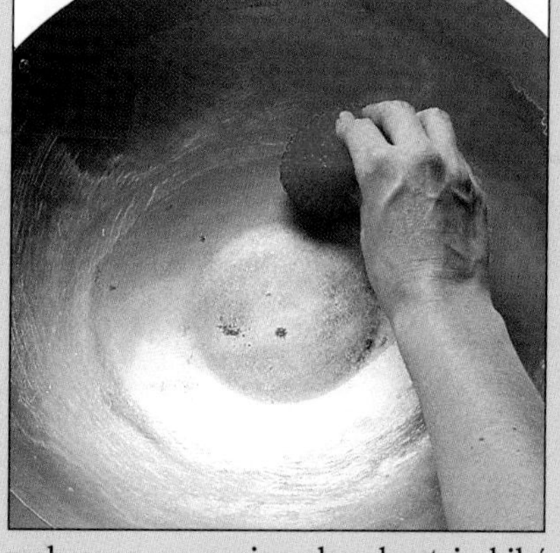

TROIS TECHNIQUES DE CUISSON

Les méthodes de cuisson chinoises sont simples, mais les aliments doivent être préparés avec soin. Les woks servent à sauter les aliments, à frire, à cuire à la vapeur, à braiser et à bouillir. Nous nous attarderons sur les trois premières méthodes de cuisson.

LES SAUTÉS

La méthode des Chinois pour faire sauter les aliments est unique. De l'huile est négligemment chauffée, puis quelques ingrédients sont ajoutés: légumes frais tranchés de même taille, languettes de viande ou crevettes dodues, gingembre frais, sauces secrètes... Les aliments sont constamment en mouve-

La viande des sautés doit être coupée en languettes ou en petits morceaux.

Pour réussir les sautés, les aliments doivent cuire à haute température.

Utilisez une cuillère de bois pour faire sauter les aliments.

ment. Les aliments doivent cuire rapidement pour conserver leur fraîcheur, leur couleur et leur texture croquante. Seul le wok, avec ses côtés hauts et évasés, permet de réussir parfaitement les sautés.

Pour les sautés, l'huile d'arachide ou de canola convient parfaitement, l'huile de sésame étant réservée pour parfumer légèrement les plats juste avant de les servir. La viande et la volaille doivent être coupées en languettes ou en petits morceaux de la grosseur d'une bouchée. Cela permet de manger plus facilement avec des baguettes et la viande cuit aussi plus rapidement. Lorsque tous les ingrédients sont prêts, approchez-les du wok.

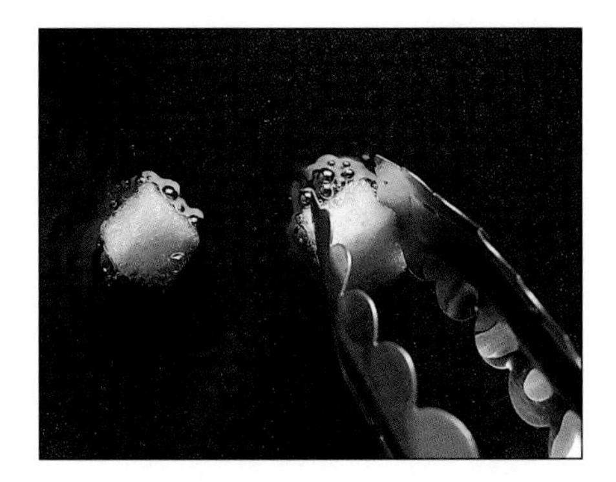

L'huile est chaude lorsqu'un cube de pain dore en une minute.

Laissez égoutter les aliments frits sur un papier absorbant.

Assurez-vous également que le riz ou les pâtes que vous servirez avec le sauté soient cuits et à la portée de la main avant de commencer la cuisson.

Le wok doit être bien chaud. Une cuisson lente fera mijoter les aliments et les rendra mous.

Les mets doivent être servis immédiatement pour qu'ils restent croquants.

LA FRITURE

La friture chinoise se fait au wok, mais on peut aussi utiliser une friteuse. Grâce à sa forme sphérique, moins d'huile est nécessaire pour la friture au wok.

Le secret de la friture consiste à maintenir l'huile à la bonne température. Ni trop élevée car l'extérieur des aliments brûlera, ni trop basse, puisque les aliments seront détrempés d'huile. Quelques précautions doivent être prises avant de débuter la friture. Assurez-vous que le wok soit bien stable. Ajoutez l'huile jusqu'à la moitié du wok, pas plus. Faites chauffer l'huile à haute température. L'huile d'arachide supporte bien la chaleur intense. Ne vous absentez pas de la cuisine lorsque l'huile est sur le feu. Vérifiez la température avec un thermomètre de cuisine afin qu'il indique la température recommandée dans la recette. Si vous n'avez pas de thermomètre, vérifiez la température de l'huile avec un morceau de pain. L'huile est suffisamment chaude lorsqu'elle frémit en déposant le pain et que ce dernier dore en une minute. À ce moment, introduisez les aliments à frire.

Déposez les aliments délicatement dans l'huile avec une cuillère trouée ou un panier métallique. Tournez-les occasionnellement puis retirez-les de l'huile lorsqu'ils sont cuits, de la même façon que vous les avez introduits. Il est bon de les égoutter sur du papier absorbant.

LA CUISSON À LA VAPEUR

Ce mode de cuisson est très répandu dans la cuisine chinoise. On y cuit du poisson, des ravioli et des légumes. Cette méthode de cuisson est rapide, saine et préserve la couleur et la saveur des aliments. Pour la cuisson à la vapeur, on utilise des étuveurs en bambou qu'on dépose dans un wok contenant de l'eau. Pour une cuisson uniforme, préparez des morceaux de même grosseur et maintenez le niveau d'eau ou de bouillon à peu près au tiers.

Les étuveurs en bambou sont essentiels pour la cuisson à la vapeur.

Le poisson, les aumônières et les légumes sont traditionnellement cuits à la vapeur.

LA CUISINE CHINOISE

ROULEAUX IMPÉRIAUX VÉGÉTARIENS

Préparation: 35 minutes
Temps de cuisson: 30 minutes
Portions: 26 rouleaux

1 c. à table (15 ml) d'huile d'arachide ou végétale
4 champignons, hachés
2 tasses (500 ml) de haricots germés
2 gousses d'ail, hachées
1 c. à thé (5 ml) de gingembre frais râpé finement
5 échalotes vertes, hachées finement
2 1/2 tasses (625 ml) de chou chinois déchiqueté
1 carotte, râpée
Poivre
1 c. à table (15 ml) de sauce soya
1 paquet de 1 livre (454 g) de pâte à egg roll, décongelée
Huile de canola ou d'arachide pour la friture

1. Dans une poêle, faire sauter les champignons, les haricots germés, l'ail, le gingembre, les échalotes vertes, le chou et la carotte dans l'huile. Poivrer. Ajouter la sauce soya et mélanger. Laisser tiédir.
2. Déposer une feuille de pâte à egg roll devant soi. Garder les autres feuilles de pâte sous un linge humide. Déposer 2 c. à thé (10 ml) de farce au centre de la pâte. Plier le coin du devant sur la farce. Replier les côtés vers le centre, puis rouler vers l'avant pour former un rouleau. Sceller avec un peu d'eau. Répéter l'opération avec le reste des feuilles de pâte.
3. Faire chauffer l'huile de la friteuse à 350 °F (180 °C). Cuire quelques rouleaux à la fois jusqu'à ce qu'ils soient dorés, soit environ 5 minutes. Égoutter sur du papier absorbant. Accompagner de sauce aux prunes.

À PROPOS...

Congélation: *Préparez les rouleaux puis faites-les congeler, non cuits, pendant une période maximale d'un mois. Il ne restera qu'à les cuire le moment venu.*
Variation: *Pour ajouter de la viande dans ces rouleaux, diminuez les haricots germés et ajoutez-y du poulet haché ou du porc maigre haché que vous ferez sauter avec les légumes.*
Prudence avec la friture: *Il est recommandé de frire les aliments dans une friteuse. Une casserole à fond épais est trop risquée. D'abord, choisissez une huile qui supporte bien une température intense. Les meilleurs choix sont l'huile d'arachide et celle de canola. Puis, remplissez la friteuse d'huile jusqu'au tiers, pas plus. Lorsque le thermomètre à cuisine ou le thermostat de la friteuse vous indique la bonne température, faites frire quelques aliments à la fois. Ils doivent être aussi secs que possible pour ne pas faire jaillir l'huile en éclaboussures.*

1

2

3

BEIGNETS AUX CREVETTES

Préparation: 1 heure
Temps de cuisson: 15 minutes
Portions: 20 beignets

Pâte à beignets

2 1/4 tasses (560 ml) de farine
1 c. à table (15 ml) de poudre à pâte
2 c. à thé (10 ml) de sucre
1/3 de tasse (75 ml) de graisse végétale
3/4 de tasse (180 ml) d'eau chaude

Farce

3/4 de livre (375 g) de crevettes, décortiquées et déveinées
1 c. à table (15 ml) de sauce soya
1 c. à table (15 ml) de sherry
1 c. à thé (5 ml) d'huile de sésame
2 échalotes vertes, hachées finement
3 c. à table (45 ml) de châtaignes d'eau hachées finement
Sel et poivre

Sauce d'accompagnement

2 c. à table (30 ml) d'huile d'arachide
2 gousses d'ail, hachées finement
1 c. à thé (5 ml) de piments forts séchés hachés finement
1 c. à table (15 ml) de sauce soya
2 c. à thé (10 ml) de beurre d'arachide
1 c. à thé (5 ml) de jus de citron

1. Hacher les crevettes. Dans un bol, mélanger les crevettes, la sauce soya, le sherry, l'huile de sésame, les échalotes vertes et les châtaignes d'eau. Saler et poivrer.
2. Dans un bol, tamiser la farine et la poudre à pâte. Ajouter le sucre. Y couper la graisse végétale à l'aide d'un coupe-pâte ou deux couteaux, jusqu'à obtention d'une texture fine et granuleuse. Faire un puits au centre.
3. Y verser l'eau chaude et mélanger jusqu'à formation d'une boule. Déposer la pâte sur une surface légèrement farinée et pétrir. Couvrir d'une pellicule de plastique et réserver pendant 15 minutes.
4. Diviser la pâte en 20 portions égales puis former 20 boulettes. Sur une surface légèrement farinée, abaisser les boulettes en cercle de 4 po (10 cm) de diamètre.
5. Déposer 1 c. à table (15 ml) comble de farce au centre de chaque cercle. Badigeonner le bord de la pâte d'un peu d'eau. Replier la pâte vers le centre et bien fermer.
6. Cuire à la vapeur dans un étuveur en bambou ou dans une marguerite.

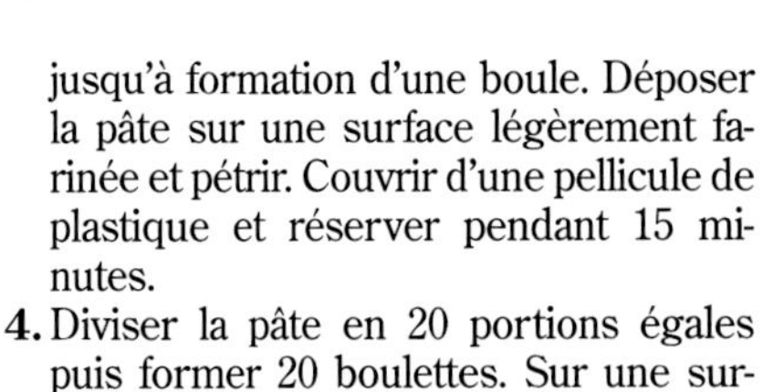

Pour la cuisson à l'étuveur en bambou- Remplir un wok à moitié d'eau, couvrir et porter à ébullition. Déposer les beignets dans l'étuveur en bambou tapissé de papier ciré puis huilée. Déposer dans le wok.

Pour la cuisson à la marguerite- Porter à ébullition un peu d'eau dans une casserole. Y déposer la marguerite remplie de beignets.

Pour les deux méthodes de cuisson, couvrir et cuire 15 minutes. Retirer soigneusement les beignets et déposer dans une assiette de service. Servir avec la sauce d'accompagnement. Dans une casserole, faire chauffer l'huile. Y sauter l'ail et le piment. Ajouter la sauce soya, le jus de citron et le beurre d'arachide. Laisser tiédir.

À PROPOS...

Note: *Pour réchauffer les beignets, le micro-ondes et la cuisson à la vapeur sont les deux meilleures méthodes.*

Le saviez-vous ? *La cuisson à la vapeur est très répandue dans la cuisine chinoise. Comme les aliments sont exposés à la vapeur brûlante de l'eau, sans entrer en contact avec l'eau, et que la cuisson est assez rapide, les vitamines sont préservées et les saveurs sont à leur maximum. Pour un effet décoratif, vous pouvez déposer l'étuveur en bambou directement sur la table.*

1

2

3

4

5

6

SOUPE AUX RAVIOLI CHINOIS

Préparation: 40 minutes
Temps de cuisson: 25 minutes
Portions: 10 à 12

4 champignons, hachés finement
1/2 livre (250 g) de porc maigre haché
1/4 de livre (125 g) de crevettes, décortiquées, déveinées, hachées finement
1 c. à table (15 ml) de sauce soya
2 échalotes vertes, hachées finement
2 c. à thé (10 ml) de gingembre frais râpé
2 c. à table (30 ml) de châtaignes d'eau tranchées finement
Sel et poivre

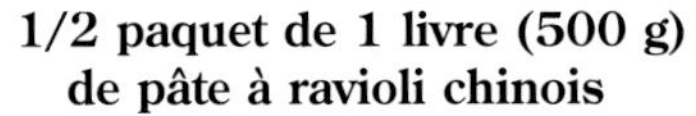

1/2 paquet de 1 livre (500 g) de pâte à ravioli chinois
10 tasses (2,5 l) de bouillon de poulet dégraissé, maison de préférence
4 échalotes vertes tranchées très finement, pour garnir

1. Dans un bol, mélanger les champignons, le porc, les crevettes, la sauce soya, les échalotes vertes, le gingembre et les châtaignes d'eau. Saler et poivrer. Déposer une feuille de pâte à ravioli chinois devant soi. Garder les autres feuilles de pâte sous un linge humide. Déposer 1 c. à thé (5 ml) comble de farce au centre de la pâte.
2. Badigeonner le bord de la pâte d'un peu d'eau. Plier en deux pour former un triangle puis ramener les deux pointes vers le centre. Déposer dans une assiette légèrement farinée pour empêcher la pâte de coller.
3. Dans une casserole, porter le bouillon à ébullition. Y cuire quelques ravioli à la fois pendant 4 à 5 minutes. Retirer du bouillon à l'aide d'une cuillère trouée. Cuire les autres ravioli de la même façon puis tous les remettre dans le bouillon. Pour servir, garnir d'échalotes vertes.

À PROPOS...

Variation: *Variez les ingrédients de la farce selon votre humeur du moment. Le poulet haché et le veau haché vous rappelleront les classiques ravioli chinois alors que les pétoncles et la chair de homard ajouteront des arômes différents.*
Note: *La pâte à ravioli chinois est disponible surgelée dans les supermachés.*

1

2

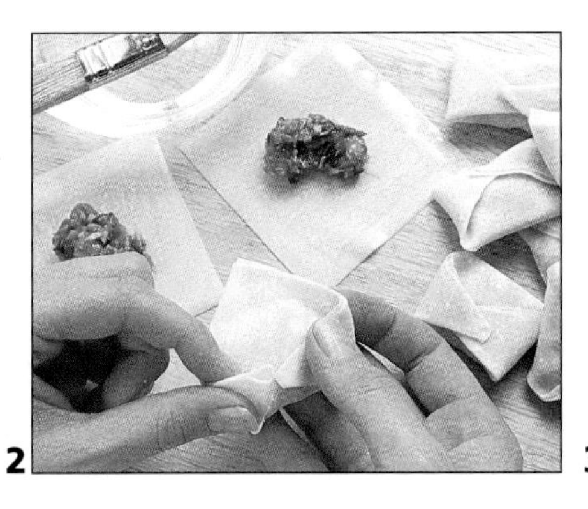

3

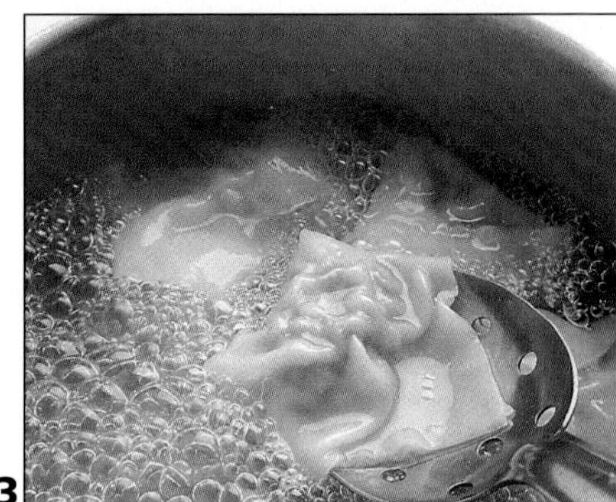

SOUPE AU POULET ET AU MAÏS

Préparation: 15 minutes
Temps de cuisson: 10 minutes
Portions: 4

6 1/2 oz (200 g) de poitrines de poulet désossées et sans la peau
2 blancs d'oeufs
3 tasses (750 ml) de bouillon de poulet dégraissé, maison de préférence
1 tasse (250 ml) de maïs en crème
1 c. à table (15 ml) de fécule de maïs
2 c. à thé (10 ml) de sauce soya
Sel et poivre
2 échalotes vertes, tranchées à la diagonale

1. Hacher finement le poulet au robot culinaire. Dans un bol, battre les blancs d'oeufs légèrement, jusqu'à ce qu'ils moussent. Incorporer les blancs d'oeufs au poulet en pliant.
2. Porter le bouillon de poulet à ébullition. Ajouter le maïs en crème. Délayer la fécule de maïs dans un peu d'eau. Ajouter à la soupe en remuant, jusqu'à ce que le mélange épaississe.
3. Réduire le feu et ajouter le mélange de poulet en fouettant. Laisser chauffer sans bouillir pendant environ 3 minutes. Assaisonner de sauce soya. Saler et poivrer. Pour servir, garnir d'échalotes vertes.

À PROPOS...

Si vous utilisez du bouillon de poulet en conserve, suivez bien les indications pour diluer le bouillon correctement.

1

2

3

SOUPE CHINOISE AU BOEUF ET AUX NOUILLES

Préparation: 30 minutes
Temps de cuisson: 30 minutes
Portions: 6

8 tasses (2 l) de bouillon de boeuf dégraissé, maison de préférence
2 tasses (500 ml) de légumes tranchés à la diagonale (carottes, céleri, champignons, épinards)
1/2 livre (250 g) de vermicelles, cuits

Boulettes

1 livre (500 g) de boeuf haché maigre
2 blancs d'oeufs, légèrement battus
2 c. à table (30 ml) de sauce soya
1 c. à thé (5 ml) d'huile de sésame
2 c. à thé (10 ml) de farine
2 c. à table (30 ml) de coriandre fraîche hachée ou 2 c. à thé (10 ml) de coriandre moulue
2 échalotes vertes, hachées finement
Sel et poivre
1/4 de c. à thé (1 ml) de cinq épices moulues

1. Dans un bol, mélanger le boeuf haché et le reste des ingrédients pour les boulettes.
2. Façonner des boulettes en calculant 1 c. à table (15 ml) par boulette. Remplir le wok à moitié d'eau, couvrir et porter à ébullition. Y déposer l'étuveur en bambou tapissé de papier ciré légèrement huilé. Déposer les boulettes de viande. Couvrir et cuire 20 minutes. On peut aussi cuire les boulettes à la vapeur à l'aide d'une marguerite.
3. Dans une casserole, porter le bouillon à ébullition. Y ajouter les légumes, sauf les épinards, et cuire de 2 à 3 minutes. Ajouter les épinards. Dans chaque bol, déposer des boulettes de viande, des nouilles, puis les légumes et le bouillon.

À PROPOS...

Pour varier, remplacez les boulettes de boeuf par des languettes de poulet cuit ou des grosses crevettes décortiquées.

1

2

3

NOUILLES AUX CREVETTES ET AU PORC

Préparation: 20 minutes
Temps de cuisson: 15 minutes
Portions: 4

1 livre (500 g) de nouilles fines aux oeufs ou de spaghetti
3 c. à table (45 ml) d'huile d'arachide
2 gousses d'ail, hachées
10 grosses crevettes, décortiquées et déveinées
6 1/2 oz (200 g) de porc au barbecue, en fines tranches (voir recette page 34)
1 c. à table (15 ml) de sauce aux haricots noirs ou de sauce chili
1 c. à table (15 ml) de sauce soya
1 1/2 c. à thé (7 ml) de vinaigre blanc
1/4 de tasse (60 ml) de bouillon de poulet
1 tasse (250 ml) de haricots germés
3 échalotes vertes, tranchées finement
Sel et poivre
1/4 de tasse (60 ml) de coriandre fraîche (voir note)

1. Cuire les nouilles dans l'eau bouillante salée, jusqu'à ce qu'elles soient *al dente*. Égoutter et réserver.
2. Dans un wok ou une grande poêle à fond épais, faire chauffer l'huile. Ajouter l'ail et les crevettes et cuire rapidement jusqu'à ce que les crevettes changent de couleur. Ajouter le porc et remuer rapidement. Ajouter les nouilles, les sauces, le vinaigre et le bouillon. Faire sauter à feu élevé jusqu'à ce que le mélange soit chaud et que le liquide soit absorbé.
3. Ajouter les haricots germés et les échalotes vertes. Saler et poivrer. Remuer. Garnir chaque portion de coriandre fraîche.

À PROPOS...

Cuisson: *Ce plat est meilleur lorsqu'il est préparé à la dernière minute.*

Variation: *Pour mettre un peu de piquant dans votre assiette, ajoutez des piments frais hachés ou utilisez de l'huile aux piments forts. À défaut de porc au barbecue, optez pour des languettes de porc ou de poulet cuit.*

Note: *Pour décorer, vous pouvez employer du persil plat à défaut de coriandre fraîche.*

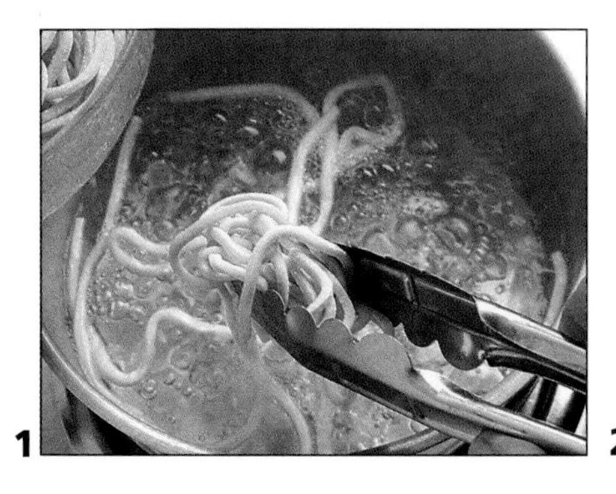
1

2

3

CREVETTES CRISTAL

Préparation: 30 minutes + 30 minutes de macération
Temps de cuisson: 10 minutes
Portions: 4

1 1/2 livre (750 g) de crevettes moyennes non décortiquées
2 échalotes vertes, hachées grossièrement
1 c. à table (15 ml) de farine
1 blanc d'oeuf, légèrement battu
1 c. à table (15 ml) de sauce hoisin
2 c. à thé (10 ml) de sherry
1 c. à thé (5 ml) de farine supplémentaire
1 c. à table (15 ml) d'huile de sésame
1 c. à table (15 ml) d'huile d'arachide
1 gousse d'ail, hachée
1/2 c. à thé (2 ml) de gingembre frais râpé finement
1/4 de livre (125 g) de pois mange-tout, parés
1 poivron rouge, en lanières
Sel et poivre

1. Décortiquer et déveiner les crevettes. Dans une casserole, déposer les écailles des crevettes et les échalotes vertes. Couvrir d'eau et porter à ébullition. Laisser mijoter 15 minutes, à découvert. Passer le fumet de crevettes dans un tamis fin. Réserver 1/2 tasse (125 ml) du fumet. Assécher les crevettes sur du papier absorbant.

2. Dans un bol, mélanger la farine et le blanc d'oeuf. Ajouter les crevettes et laisser macérer 30 minutes au réfrigérateur. Dans un bol, mélanger le fumet réservé, la sauce hoisin, le sherry et la farine supplémentaire. Dans un wok ou une grande poêle à fond épais, faire chauffer l'huile de sésame. Y sauter les crevettes jusqu'à ce qu'elles changent de couleur. Retirer les crevettes et réserver.

3. Ajouter l'huile d'arachide dans le wok. Ajouter l'ail et le gingembre. Y sauter les pois mange-tout et le poivron à feu élevé, jusqu'à ce qu'ils soient *al dente*. Ajouter la sauce et remuer jusqu'à ébullition et épaississement. Saler et poivrer. Ajouter les crevettes. Mélanger. Servir immédiatement sur un lit de riz.

À PROPOS...

Le wok est l'ustensile de cuisson le plus utile et le plus polyvalent pour les Chinois. La température de cuisson est cruciale. Les légumes perdront leur croquant si le wok n'est pas suffisamment chaud. Mettez votre main au-dessus du wok, sans le toucher. Lorsque vous sentez bien la chaleur, il est prêt pour la cuisson.

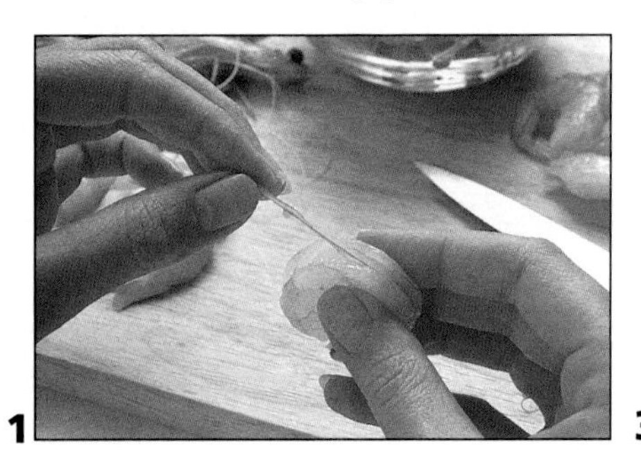
1

2

3

POULET AU CITRON

Préparation: 15 minutes + 30 minutes de macération
Temps de cuisson: 10 minutes
Portions: 4

1 livre (500 g) de poitrines de poulet désossées et sans la peau
1 blanc d'oeuf, légèrement battu
2 c. à thé (10 ml) de farine
Sel et poivre
1/4 de c. à thé (1 ml) de gingembre frais râpé
3 c. à table (45 ml) d'huile d'arachide ou de canola

Sauce au citron

1 c. à table (15 ml) de fécule de maïs
2 c. à table (30 ml) d'eau
2 c. à table (30 ml) de sirop de maïs
3 c. à table (45 ml) de jus de citron
3/4 de tasse (180 ml) de bouillon de poulet

1. Couper les poitrines de poulet à la diagonale pour former des lanières de 1/2 po (1 cm) de large. Dans un bol, mélanger le blanc d'oeuf, la farine, le sel, le poivre et le gingembre. Ajouter le poulet et bien mélanger. Laisser macérer 30 minutes.

2. Dans un wok ou une grande poêle à fond épais, faire chauffer l'huile. Égoutter le poulet. Faire sauter le poulet à feu moyen-élevé, jusqu'à ce qu'il soit cuit, sans être doré. Réserver au chaud. Retirer l'excès d'huile du wok.

3. **Sauce** - Délayer la fécule de maïs dans l'eau. Ajouter dans le wok avec le reste des ingrédients. Remuer à feu élevé et cuire 1 minute. Ajouter le poulet en remuant pour l'enrober de sauce. Pour servir, accompagner de vermicelles de riz ou de riz, puis de légumes chinois.

1

2

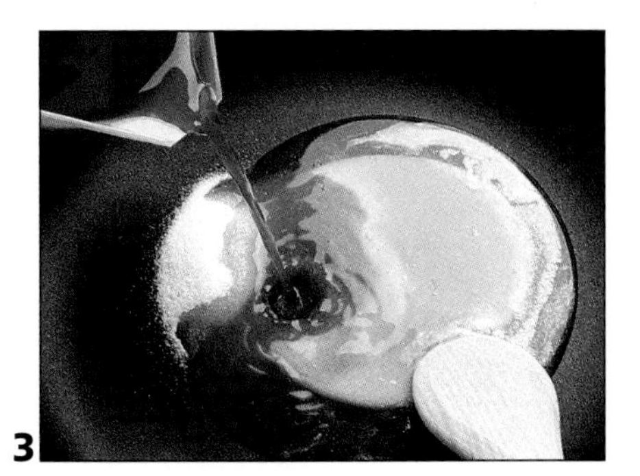
3

MIJOTÉ DE POULET ET DE LÉGUMES AU GINGEMBRE

Préparation: 20 minutes + 30 minutes de macération
Temps de cuisson: 25 minutes
Portions: 4

1 livre (500 g) de poitrines de poulet désossées et sans la peau, en cubes
1 c. à table (15 ml) de sauce soya
1 c. à table (15 ml) de sherry
6 champignons, tranchés
2 poireaux
1 gousse d'ail, hachée
2 patates douces (patates sucrées), pelées
1 morceau de gingembre frais de 2 po (5 cm), râpé
2 c. à table (30 ml) d'huile d'arachide
1/2 tasse (125 ml) de bouillon de poulet dégraissé, maison de préférence
1 c. à thé (5 ml) d'huile de sésame
Sel et poivre
1 c. à table (15 ml) de fécule de maïs

1. Dans un bol, mélanger le poulet, la sauce soya et le sherry. Couvrir et laisser macérer 30 minutes au réfrigérateur. Hacher les champignons. Bien laver les poireaux à l'eau froide. Couper les poireaux et les patates douces en tranches fines.
2. Égoutter le poulet et réserver la marinade. Dans un wok ou une grande poêle à fond épais, faire chauffer la moitié de l'huile d'arachide. Y sauter la moitié du poulet pour les saisir de toute part. Retirer du wok. Ajouter le reste de l'huile et faire sauter le reste de poulet. Retirer du wok.
3. Ajouter les poireaux, l'ail et le gingembre. Faire sauter 1 minute. Ajouter les champignons, le reste de la marinade, le bouillon de poulet et l'huile de sésame. Remettre le poulet dans le wok avec les patates douces. Saler et poivrer. Couvrir et cuire à feu doux, environ 20 minutes, jusqu'à ce que les patates soient tendres. Délayer la fécule de maïs dans un peu d'eau. Ajouter au mijoté en remuant. Cuire en remuant jusqu'à ébullition et épaississement. Servir avec du riz ou des nouilles.

À PROPOS...

Ce plat peut être préparé un à deux jours à l'avance. Il se congèle sans problème pour les journées fort occupées.

1

2

3

POULET DE HAINAN ET SON RIZ AU GINGEMBRE

Préparation: 30 minutes
Temps de cuisson: 1h30
Portions: 4

1 poulet de 3 livres (1,5 kg)
Feuilles de céleri
Quelques grains de poivre
Sel
2 échalotes vertes, hachées grossièrement
2 c. à table (30 ml) d'huile d'arachide ou de canola
1 c. à table (15 ml) d'huile de sésame
1 c. à table (15 ml) de gingembre frais râpé finement
3 gousses d'ail, hachées finement
1 oignon, tranché finement
2 tasses (500 ml) de riz à grains courts

Sauce d'accompagnement

2 c. à table (30 ml) de sauce soya
1 c. à thé (5 ml) de harissa ou de sauce aux piments forts (type Tabasco)

Soupe

1/2 tasse (125 ml) de chou chinois déchiqueté finement
2 c. à table (30 ml) de coriandre fraîche hachée
Sel et poivre

1. Essuyer le poulet avec un papier absorbant imbibé de vinaigre. Dans une casserole, déposer le poulet, des feuilles de céleri, les grains de poivre, le sel et les échalotes vertes. Couvrir d'eau. Couvrir et porter à ébullition. Laisser mijoter 15 minutes. Éteindre le feu et laisser reposer 45 minutes, couvert. Dans une casserole, faire chauffer les huiles. Ajouter le gingembre, l'ail et l'oignon et cuire jusqu'à tendreté.
2. Ajouter le riz et cuire en remuant pendant 2 minutes. Ajouter 3 tasses (750 ml) de bouillon de poulet provenant de la casserole contenant le poulet. Porter à ébullition. Couvrir et réduire le feu à très doux. Cuire 15 minutes. Remuer le riz à la fourchette.
3. Pendant la cuisson du riz, retirer le poulet de la casserole et réserver le bouillon pour la soupe. Découper le poulet en morceaux. Déposer sur une plaque et faire colorer de 5 à 10 minutes sous le gril chaud du four. Disposer les morceaux dans une assiette chaude. Mélanger la sauce soya et la harissa ou la sauce aux piments forts. Le reste du bouillon peut être servi comme soupe. Il suffit de passer le bouillon dans un tamis fin puis de porter à ébullition et d'ajouter le chou chinois. Verser dans un bol et saupoudrer de coriandre. Saler et poivrer, au besoin.

À PROPOS...

Pour préparer le poulet de Hainan, cette île de la Chine du sud, on peut aussi utiliser des morceaux de poulet tels que deux cuisses, une poitrine coupée en deux, deux pilons et deux ailes.

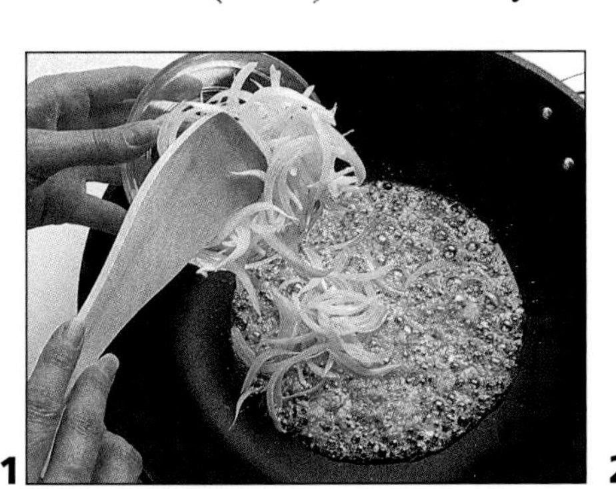
1

2

3

POULET FUMÉ AUX CINQ ÉPICES

Préparation: 30 minutes + macération une nuit
Temps de cuisson: 1h40
Portions: 6

1 poulet de 3,5 livres (1,6 kg)
1/4 de tasse (60 ml) de sauce soya
1 c. à table (15 ml) de gingembre frais râpé finement
2 gousses d'ail, hachées
1 anis étoilé
1/4 de c. à thé (1 ml) de cinq épices moulues
1/4 de tasse (60 ml) de cassonade
2 gros morceaux de pelure d'orange
Sel et poivre

1. Retirer le gras qui pourrait se trouver à l'intérieur du poulet. Essuyer le poulet avec un papier absorbant imbibé de vinaigre. Dans un grand bol, déposer le poulet, la sauce soya, le gingembre et l'ail.
2. Couvrir et laisser macérer plusieurs heures, idéalement toute une nuit au réfrigérateur. Le tourner à quelques reprises.
3. Tapisser le fond d'une rôtissoire de trois ou quatre feuilles de papier d'aluminium. Moudre l'anis étoilé à l'aide d'un pilon et d'un mortier. On peut aussi le moudre au robot culinaire ou avec un rouleau à pâte. Saupoudrer le cinq épices, la cassonade et l'anis étoilé moulu sur le papier d'aluminium. Y ajouter les pelures d'orange.
4. Déposer une grille dans le fond de la rôtissoire. Déposer le poulet sur la grille. Saler et poivrer le poulet. Cuire sur un feu moyen jusqu'à ce que le mélange commence à fumer. Couvrir la rôtissoire de bas en haut de papier d'aluminium et fermer hermétiquement. Cuire dans un four préchauffé à 350 °F (180 °C) pendant 1h35 à 1h40 ou jusqu'à ce que le jus qui s'en écoule lorsqu'on le pique avec une fourchette soit clair. Retirer le papier d'aluminium pour les 20 dernières minutes de cuisson. Retirer de la rôtissoire et découper en morceaux.

À PROPOS...

Le fumage est une façon ingénieuse de cuire le poulet. Il n'y a pas de mots pour vous décrire à quel point le poulet devient juteux et savoureux en cuisant au-dessus des effluves des épices. Cette technique de fumage s'applique également aux cuisses et aux poitrines de poulet. Si vous désirez un poulet très coloré comme le démontre la photo, badigeonnez le poulet de sauce à brunir lors des 20 dernières minutes de cuisson.

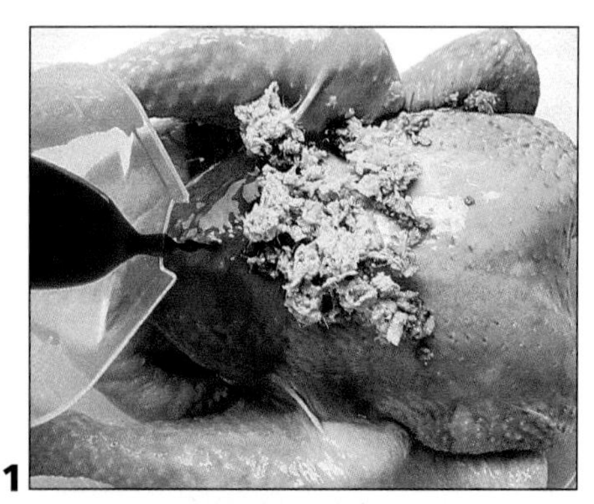
1

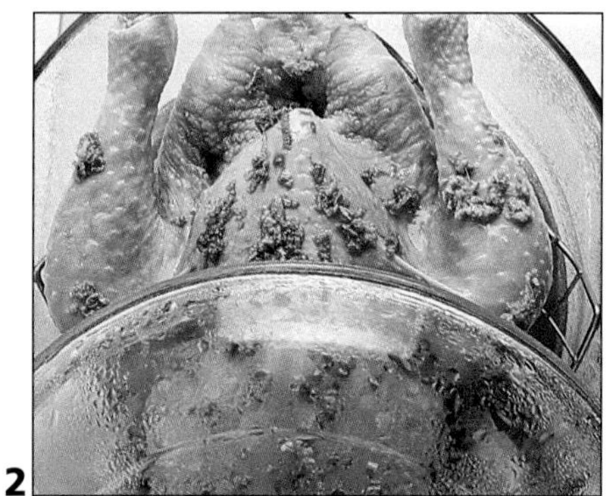
2

3

4

PILONS DE POULET AUX SEPT PARFUMS

Préparation: 5 minutes + 1 heure de macération
Temps de cuisson: 40 minutes
Portions: 4

8 à 10 pilons de poulet
1/3 de tasse (75 ml) de sauce soya
2 c. à thé (10 ml) d'huile de sésame
1 c. à table (15 ml) d'huile végétale
2 c. à table (30 ml) de sherry
2 gousses d'ail, hachées
1/2 c. à thé (2 ml) de gingembre frais râpé
1 c. à thé (5 ml) de cinq épices moulues
Sel et poivre
1 c. à table (15 ml) de graines de sésame grillées pour garnir

1. Dans un grand bol, mélanger tous les ingrédients, sauf les graines de sésame. Couvrir et laisser macérer au moins 1 heure au réfrigérateur. Préchauffer le four à 350 °F (180 °C). Égoutter le poulet et déposer dans un plat allant au four. Cuire au four pendant 15 minutes.
2. Retourner les pilons et poursuivre la cuisson 25 minutes de plus ou jusqu'à ce que le poulet soit cuit.
3. Saupoudrer de graines de sésame. Servir chaud avec du riz et des légumes, ou servir en amuse-gueules.

À PROPOS...

Pour accompagner les plats chinois, le saké n'a vraiment pas son pareil. Cette boisson produite au Japon, à base de riz fermenté, se sert à la température de 105 °F (40 °C) dans de petits verres en porcelaine préalablement chauffés.

1

2

3

SALADE DE POULET ET SA SAUCE SATAY

Préparation: 15 minutes + 1 heure de réfrigération
Temps de cuisson: 25 minutes
Portions: 4

4 suprêmes de poulet
1/2 livre (250 g) de haricots verts, équeutés

Sauce satay

2 c. à table (30 ml) de beurre d'arachide
1 c. à table (15 ml) de sauce soya
1 c. à table (15 ml) de vinaigre blanc

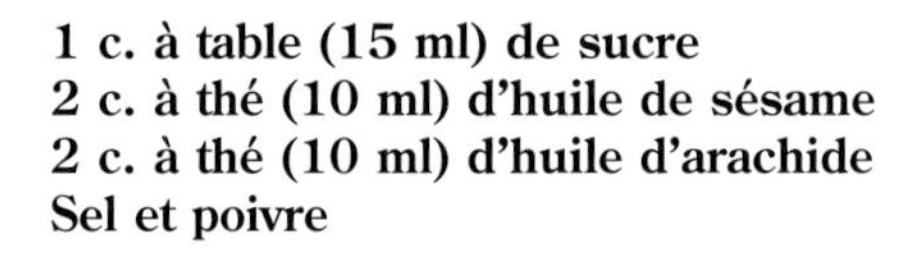

1 c. à table (15 ml) de sucre
2 c. à thé (10 ml) d'huile de sésame
2 c. à thé (10 ml) d'huile d'arachide
Sel et poivre

1. Dans une casserole, déposer le poulet et suffisamment de bouillon de poulet pour le couvrir. Porter lentement à ébullition. Couvrir et réduire le feu à doux. Faire pocher le poulet pendant 5 minutes. Retirer la casserole du feu. Couvrir et réserver pendant 20 minutes. Couper les haricots à la diagonale. Cuire à la vapeur dans une marguerite, jusqu'à ce qu'ils soient *al dente*. Rincer sous l'eau froide, égoutter et réserver.
2. **Sauce satay** - Dans une casserole, chauffer légèrement le beurre d'arachide. Incorporer le reste des ingrédients graduellement en remuant.
3. Disposer les haricots dans quatre assiettes. Égoutter le poulet de la casserole et trancher finement. Répartir sur les haricots. Napper de sauce satay. Réfrigérer 1 heure avant de servir.

À PROPOS...

L'huile de sésame possède un goût prononcé et distinct, il faut donc l'utiliser avec discrétion. On la mélange souvent avec d'autres huiles plus douces telles l'huile d'arachide. Une petite quantité suffit pour parfumer délicatement un sauté ou une vinaigrette. Conservez-la dans un endroit frais, à l'abri de la lumière.

1

2

3
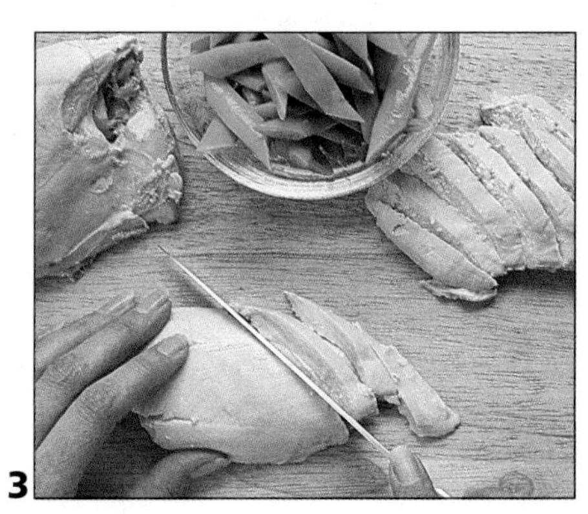

CANARD À LA PÉKINOISE

Préparation: 1 heure + 2 heures de séchage + 1 heure pour les crêpes
Temps de cuisson: 1 heure
Portions: 4

1 canard de 3,5 livres (1,6 kg)
12 tasses (3 l) d'eau bouillante
2 c. à table (30 ml) de miel
1 tasse (250 ml) d'eau chaude
1 concombre anglais
12 échalotes vertes
2 c. à table (30 ml) de sauce hoisin

Crêpes

2 1/2 tasses (625 ml) de farine
2 c. à thé (10 ml) de sucre
1 tasse (250 ml) d'eau bouillante
1 c. à table (15 ml) d'huile de sésame

1. Retirer l'excès de peau et de gras du canard. Tenir le canard au-dessus de l'évier et verser très soigneusement l'eau bouillante par-dessus. Égoutter.
2. Déposer le canard sur une grille déposée dans une rôtissoire. Mélanger le miel et l'eau chaude puis badigeonner le canard de deux bonnes couches. Faire sécher le canard pendant 2 heures en l'accrochant de préférence dans un endroit frais et aéré. On peut utiliser un ventilateur électrique à vitesse élevée placé à environ 3 pieds (1 mètre) de distance.
3. Épépiner le concombre et le trancher en fins bâtonnets. Couper les échalotes vertes en morceaux de 3 po (7,5 cm). Tailler finement une extrémité en partant du centre vers le bout. Déposer dans de l'eau glacée pour faire friser.

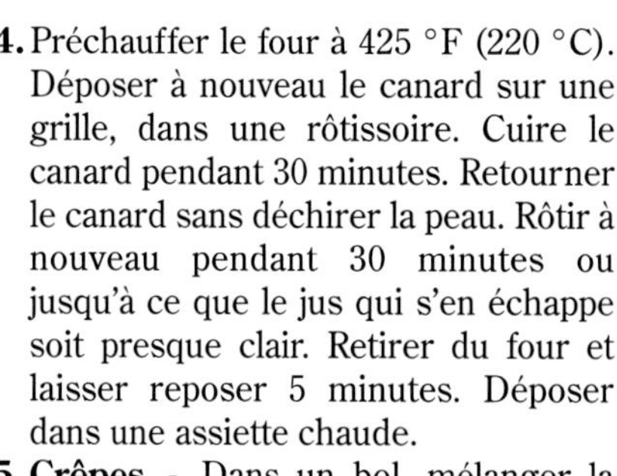

4. Préchauffer le four à 425 °F (220 °C). Déposer à nouveau le canard sur une grille, dans une rôtissoire. Cuire le canard pendant 30 minutes. Retourner le canard sans déchirer la peau. Rôtir à nouveau pendant 30 minutes ou jusqu'à ce que le jus qui s'en échappe soit presque clair. Retirer du four et laisser reposer 5 minutes. Déposer dans une assiette chaude.
5. **Crêpes** - Dans un bol, mélanger la farine et le sucre. Y verser l'eau et brasser le mélange quelques fois. Laisser tiédir. Pétrir sur une surface légèrement farinée pour obtenir une pâte lisse. Réserver 30 minutes. Façonner en boules en calculant 2 c. à table (30 ml) de pâte pour chaque crêpe. Abaisser en cercles de 3 po (7,5 cm) de diamètre. Badigeonner légèrement un cercle de pâte d'huile de sésame. Y déposer un cercle de pâte. Abaisser de nouveau pour obtenir une crêpe de 6 po (15 cm) de diamètre. Répéter avec le reste de la pâte pour préparer environ 10 crêpes doubles.
6. Dans une poêle, faire chauffer un peu d'huile végétale. Cuire les crêpes, une à la fois. Lorsque de petites bulles apparaissent à la surface, retourner la crêpe et cuire l'autre côté. La crêpe devrait gonfler lorsque cuite. Retirer et déposer dans une assiette. Lorsque c'est assez froid pour être manipulé, décoller les deux crêpes. Superposer dans une assiette et couvrir immédiatement pour éviter qu'elles se dessèchent.

Le service

Déposer l'assiette de bâtonnets de concombre, l'assiette d'échalotes vertes, le bol de sauce hoisin, les crêpes et le canard coupé en fines tranches sur la table. Chaque personne préparera sa crêpe en la tartinant d'abord de sauce hoisin. Y ajouter quelques morceaux de concombre et une échalote, puis une tranche de canard. Replier et déguster.

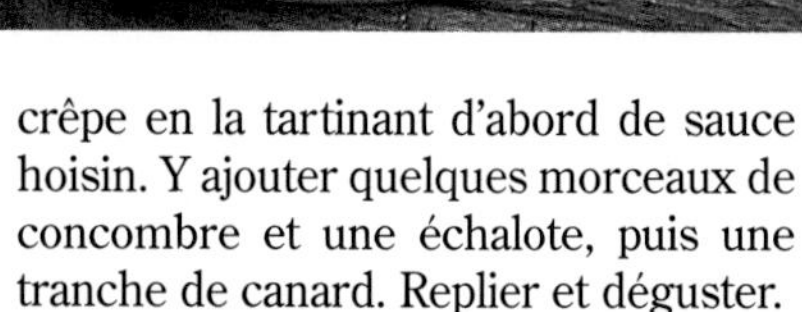

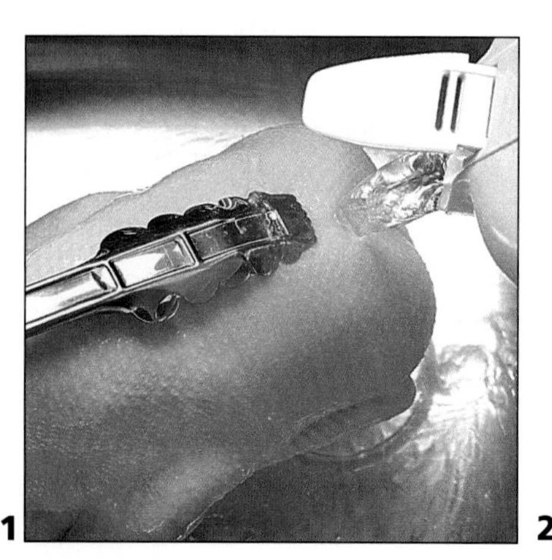
1

2

3

À PROPOS...

Les crêpes - *On peut préparer les crêpes quelques heures à l'avance et les garder sous un linge humide. Les réchauffer juste avant de servir en les enveloppant dans du papier d'aluminium et en les déposant dans un four quelques minutes. Ces crêpes devraient être minces comme du papier. Lorsque ces crêpes ne connaîtront plus de secrets pour vous, n'utilisez que 1 c. à table (15 ml) de pâte par crêpe.*

Le canard - *Cet oiseau possède une viande rouge. On peut cuire le canard rosé, médium ou bien cuit comme le boeuf.*

4

5

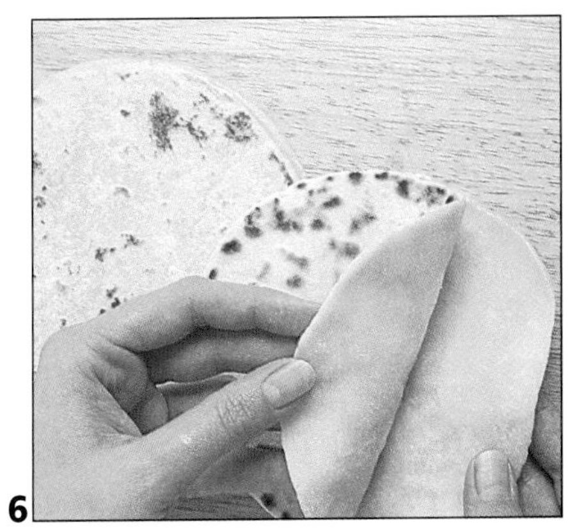

6

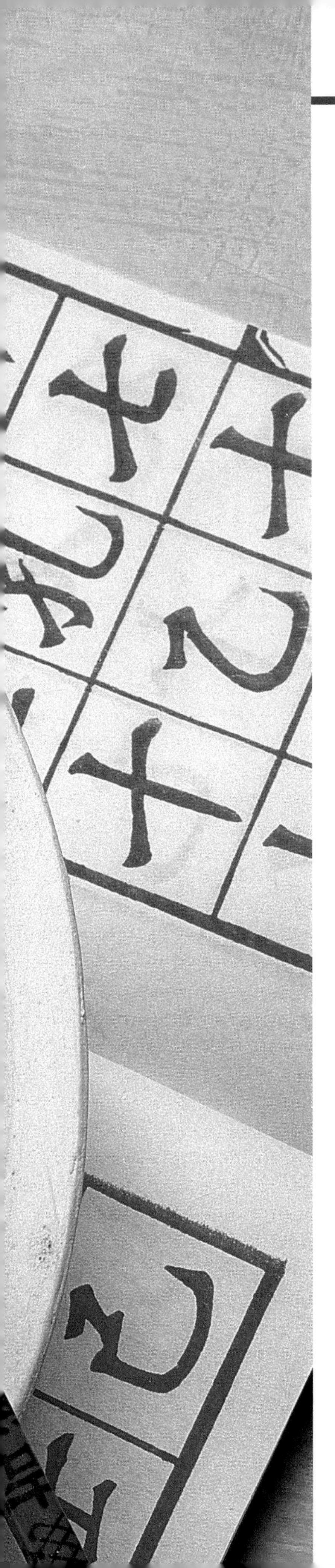

CANARD À L'ORANGE

Préparation: 20 minutes
Temps de cuisson: 2 heures
Portions: 4

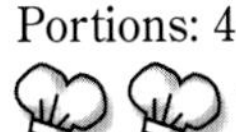

1 canard de 4 livres (2 kg)
3 tranches de gingembre frais
1/4 de c. à thé (1 ml) de cinq épices moulues
1/4 de c. à thé (1 ml) de poivre moulu
Sel
1/2 orange coupée en quartiers
Huile de canola ou d'arachide pour la friture (facultatif)

Sauce à l'orange

1/2 tasse (125 ml) de jus d'orange
1 c. à table (15 ml) de zeste d'orange râpé finement
1 c. à table (15 ml) de sauce soya
1 c. à table (15 ml) de cassonade
2 c. à thé (10 ml) de fécule de maïs
Sel et poivre

1. Essuyer le canard avec un papier absorbant imbibé de vinaigre. Retirer l'excès de gras et de peau. Couper le canard en deux à l'aide de ciseaux à cuisine ou d'un couteau très tranchant. Enlever le cou et les ailes. Séparer la poitrine et la cuisse des deux moitiés de canard.
2. Dans une casserole, déposer le canard et suffisamment d'eau pour le couvrir presque entièrement. Ajouter le gingembre, le cinq épices, le poivre, le sel et les oranges. Porter à ébullition. Couvrir et laisser mijoter doucement pendant 2h00.
3. Retirer le canard du liquide de cuisson et laisser refroidir. Faire réduire le liquide de cuisson à 1 tasse (250 ml) de bouillon. Dégraisser. Passer dans un tamis fin et remettre dans la casserole. Ajouter le jus d'orange, le zeste d'orange, la sauce soya et la cassonade. Laisser mijoter 5 minutes. Délayer la fécule de maïs dans un peu d'eau et ajouter à la sauce en remuant. Saler et poivrer. Laisser mijoter pendant 3 minutes.
4. Cuire les morceaux de canard sous le gril chaud du four, jusqu'à ce qu'ils soient dorés. On peut aussi les cuire dans l'huile et les faire frire jusqu'à ce que la peau soit croustillante. Servir avec la sauce à l'orange.

À PROPOS...

On élève quelques variétés de canard au Québec. Les deux plus populaires sont le canard de Pékin et le canard de Barbarie. Ce dernier possède une chair plus maigre que le canard de Pékin.

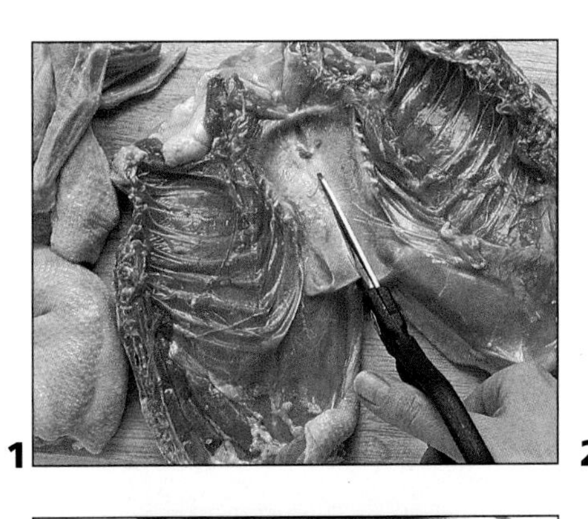
1

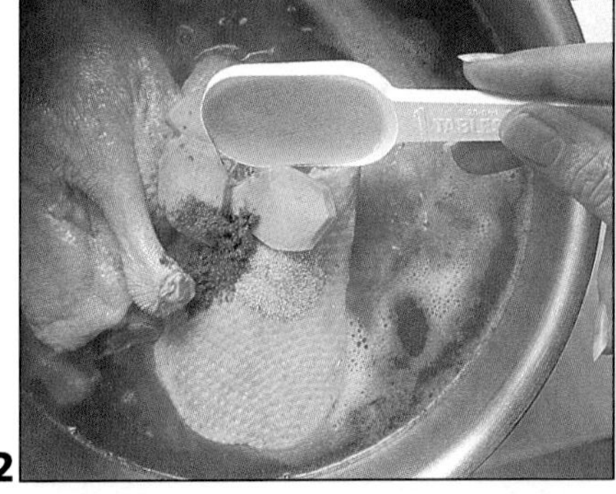
2

3

4

SAUTÉ DE BOEUF AUX POIS MANGE-TOUT

Préparation: 10 minutes + 15 minutes de macération
Temps de cuisson: 5 minutes
Portions: 4

1 livre (500 g) de boeuf dans la ronde, en languettes
2 c. à table (30 ml) de sauce soya
1/2 c. à thé (2 ml) de gingembre frais râpé
2 c. à table (30 ml) d'huile d'arachide
6 1/2 oz (200 g) de pois mange-tout, parés
1 gousse d'ail, hachée
2 c. à thé (10 ml) de fécule de maïs
1/2 tasse (125 ml) de bouillon de boeuf
1 c. à thé (5 ml) de sauce soya supplémentaire
1/2 c. à thé (2 ml) d'huile de sésame
Sel et poivre

1. Dans un bol, mélanger la viande, la sauce soya et le gingembre. Laisser reposer 15 minutes. Dans un wok ou une grande poêle, faire chauffer l'huile. Y sauter le boeuf, les pois mange-tout et l'ail à feu élevé, jusqu'à ce que la viande change de couleur.
2. Délayer la fécule de maïs dans un peu de bouillon de boeuf. Ajouter le reste du bouillon dans le wok, puis la fécule de maïs en remuant. Ajouter la sauce soya supplémentaire et l'huile de sésame. Saler et poivrer, si désiré.
3. Remuer jusqu'à épaississement de la sauce. Servir avec du riz nature.

À PROPOS...

Lorsque l'ail a germé, ce qui peut arriver quand on le conserve trop longtemps, il vaut toujours mieux en retirer le germe, soit la partie verte située au centre de la gousse. Celui-ci rend l'ail indigeste.

1

2

3

BOEUF, SAUCE AUX HARICOTS NOIRS

Préparation: 10 minutes
Temps de cuisson: 10 minutes
Portions: 4

1/2 tasse (125 ml) de haricots noirs en conserve (voir note)
1 oignon
1 poivron rouge
1 poivron vert
2 c. à thé (10 ml) de fécule de maïs
1/2 tasse (125 ml) de bouillon de boeuf ou de poulet
2 c. à thé (10 ml) de sauce soya
1 c. à thé (5 ml) de sucre
2 c. à table (30 ml) d'huile de canola ou d'arachide
1 gousse d'ail, hachée finement
1 livre (500 g) de boeuf dans la ronde ou dans le filet, en languettes
Sel et poivre

1. Rincer les haricots noirs sous l'eau froide. Égoutter et écraser à la fourchette. Couper l'oignon en segments. Épépiner et couper les poivrons en cubes. Délayer la fécule dans un peu de bouillon. Ajouter la sauce soya et le sucre.
2. Dans un wok ou une grande poêle à fond épais, faire chauffer 1 c. à table (15 ml) d'huile. Y sauter l'ail, l'oignon et les poivrons à feu élevé environ 1 minute. Retirer du wok et réserver.
3. Ajouter le reste de l'huile. Y sauter le boeuf à feu élevé, jusqu'à ce qu'il soit cuit. Saler et poivrer. Ajouter les haricots noirs, le mélange de farine et les légumes. Brasser jusqu'à ébullition et épaississement de la sauce. Servir avec du riz nature.

À PROPOS...

À défaut de haricots noirs en conserve, vous pouvez faire cuire des haricots noirs secs, vendus en vrac dans les épiceries ou dans les magasins d'aliments naturels, environ 45 minutes dans de l'eau, ou jusqu'à tendreté.

1

2

3

SAUTÉ DE BOEUF À L'ORANGE

Préparation: 25 minutes
Temps de cuisson: 5 minutes
Portions: 4

1 c. à table (15 ml) de sauce soya
Le zeste et le jus d'une grosse orange
2 c. à thé (10 ml) de gingembre frais haché
1/4 de c. à thé (1 ml) de poivre moulu
1 livre (500 g) de boeuf dans l'intérieur de ronde, en languettes
4 c. à thé (20 ml) de fécule de maïs
2 c. à thé (10 ml) de sauce soya supplémentaire
1 c. à table (15 ml) d'huile d'arachide
1/3 de tasse (75 ml) de bouillon de boeuf
2 c. à table (30 ml) de sirop de maïs

1. Dans un bol, mélanger la sauce soya, le zeste d'orange, le gingembre et le poivre. Y ajouter la viande. Laisser mariner 15 minutes. Dans un bol, délayer la fécule de maïs dans la sauce soya. Réserver.
2. Dans un wok ou une grande poêle à épais, faire chauffer l'huile. Y sauter le boeuf à feu élevé, jusqu'à ce que la viande change de couleur. Ajouter le bouillon de boeuf, le jus d'orange et le sirop de maïs. Faire sauter quelques secondes.
3. Ajouter le mélange de fécule de maïs en remuant. Brasser jusqu'à ébullition et épaississement de la sauce. Servir avec du riz nature ou des vermicelles de riz.

À PROPOS...

Vous pouvez utiliser des coupes de boeuf tendres comme le filet pour les sautés. Bien que moins tendres, l'intérieur de ronde, la pointe de surlonge et la ronde sont plus abordables et se prêtent bien aux sautés. Pour les attendrir, il suffit de les laisser mariner avec un ingrédient acide tel le jus de citron, le jus d'orange ou la sauce soya. Plus longue sera la macération, plus la viande deviendra tendre.

1

2

3

SAUTÉ DE BOEUF AUX LÉGUMES

Préparation: 15 minutes
Temps de cuisson: 5 minutes
Portions: 4

1 1/2 c. à thé (7 ml) de fécule de maïs
1/2 tasse (125 ml) de bouillon de boeuf
1 c. à table (15 ml) de sauce aux huîtres
2 gousses d'ail, hachées finement
1 c. à thé (5 ml) de gingembre râpé
1 c. à table (15 ml) de sirop de maïs
2 c. à table (30 ml) d'huile d'arachide
1 livre (500 g) de boeuf dans la ronde, en languettes
1/2 livre (250 g) de haricots verts, équeutés, coupés en morceaux de 2 po (5 cm)
1 poivron rouge, tranché
Sel et poivre

1. Délayer la fécule de maïs dans un peu de bouillon de boeuf. Ajouter le reste du bouillon, la sauce aux huîtres, l'ail, le gingembre et le sirop de maïs. Réserver. Dans un wok ou une grande poêle à fond épais, faire chauffer l'huile. Y sauter le boeuf à feu élevé, jusqu'à ce qu'il change de couleur.
2. Ajouter les haricots verts, le poivron et faire sauter jusqu'à ce que les légumes soient *al dente.*
3. Ajouter le mélange de fécule de maïs et cuire jusqu'à ébullition et épaississement de la sauce. Saler et poivrer. Servir avec du riz nature.

À PROPOS...

Brocoli, champignons, carottes tranchées à la diagonale, pois mange-tout... tous les légumes sont permis!

1

2

3

PORC AU BARBECUE

Préparation: 40 minutes + 30 minutes de macération
Temps de cuisson: 30 minutes
Portions: 6

1 1/2 livre (750 g) de filets de porc
1/4 de tasse (60 ml) de sauce tomate
1 c. à table (15 ml) de sauce hoisin
2 c. à table (30 ml) de miel
1 c. à table (15 ml) de mélasse
4 gousses d'ail, hachées finement
2 c. à table (30 ml) de sucre
1 c. à thé (5 ml) de cinq épices moulues
2 c. à thé (10 ml) de fécule de maïs
1 c. à table (15 ml) d'eau
Sel et poivre

1. Dans une casserole, mélanger la sauce tomate, la sauce hoisin, le miel, la mélasse, l'ail, le sucre et les épices. Délayer la fécule de maïs dans l'eau et ajouter au mélange précédent. Porter à ébullition. Réduire le feu et brasser 2 minutes. Laisser refroidir. Déposer le porc dans la sauce et le retourner pour bien l'enrober de sauce. Laisser mariner au moins 30 minutes.
2. Préchauffer le four à 425 °F (220 °C). Égoutter le porc et le déposer sur une grille dans un plat allant au four, dont le fond est rempli d'eau chaude. Saler et poivrer le porc. Cuire au four 15 minutes.
3. Réduire la température à 350 °F (180 °C) et poursuivre la cuisson 15 minutes. Badigeonner à l'occasion du reste de marinade. Retirer du four et laisser reposer 5 minutes avant de trancher.

À PROPOS...

Le cinq épices est un mélange de grains de poivre, de cannelle, de clous de girofle, de fenouil et d'anis étoilé. À défaut d'en trouver, créez votre propre mélange de ces cinq épices en proportions égales.

1

2

3

CÔTES LEVÉES À L'AIL

Préparation: 20 minutes
Temps de cuisson: 1h25
Portions: 4

1 1/2 livre (750 g) de côtes levées courtes
1 c. à table (15 ml) d'huile d'arachide
4 gousses d'ail, hachées finement
1/4 de tasse (60 ml) de sherry
1 c. à thé (5 ml) de harissa ou de pâte de piments forts
2 tasses (500 ml) d'eau
2 c. à table (30 ml) de sauce hoisin
2 c. à table (30 ml) de miel
2 c. à table (30 ml) de sauce soya
Sel et poivre

1. Dans une casserole, déposer les côtes levées. Couvrir d'eau. Porter à ébullition. Réduire le feu et laisser mijoter 40 minutes. Égoutter et réserver. Dans une casserole, mélanger le reste des ingrédients avec les côtes levées. Couvrir et laisser mijoter 45 minutes.
2. Si désiré, on peut faire griller les côtes levées sous le gril chaud du four pendant quelques minutes, ou dans une poêle antiadhésive.
3. On peut couper les côtes levées en morceaux.

1
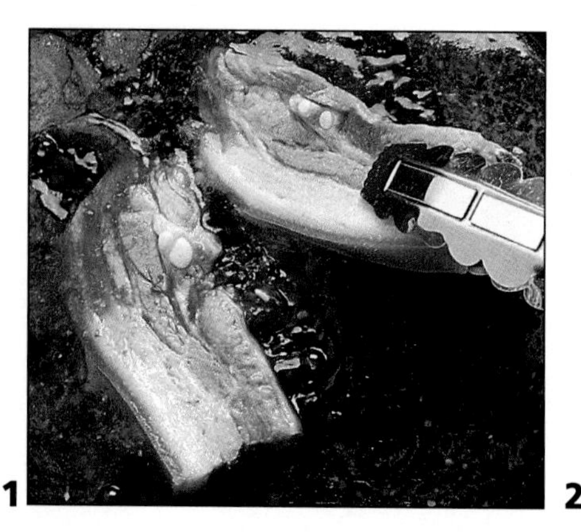

2

3

吉祥如意
吉祥如意

NOUILLES FRITES AU PORC ET AUX LÉGUMES

Préparation: 30 minutes
Temps de cuisson: 20 minutes
Portions: 4

1/2 livre (250 g) de nouilles aux oeufs très fines ou de vermicelles de riz
1 oignon
1 carotte
4 échalotes vertes
1 poivron vert
1 poivron rouge
1/4 de tasse (60 ml) d'huile de canola ou d'arachide
2 gousses d'ail, hachées finement
2 c. à thé (10 ml) de gingembre frais haché finement
1 tasse (250 ml) de cubes de porc cuit
1 c. à table (15 ml) de sauce hoisin
1/2 tasse (125 ml) de haricots germés
1 c. à table (15 ml) de fécule de maïs
1 1/4 tasse (310 ml) de bouillon de poulet
Sel et poivre

1. Dans une casserole remplie d'eau bouillante, cuire les nouilles jusqu'à ce qu'elles soient *al dente*. Égoutter. Étendre sur une serviette propre et laisser sécher. Couper l'oignon en huit segments. Couper la carotte en juliennes.
2. Couper les échalotes vertes en morceaux de 2 po (5 cm) et les poivrons en cubes de 1 po (2,5 cm).
3. Dans une poêle à fond épais, faire chauffer 1 c. à table (15 ml) de l'huile. Ajouter la moitié des nouilles et cuire 5 minutes à feu moyen, ou jusqu'à ce qu'une galette dorée et croquante se soit formée. Retourner la galette de nouilles et poursuivre la cuisson 5 minutes. Ajouter 1 c. à table (15 ml) d'huile en la laissant couler le long de la paroi intérieure de la poêle. Retirer les nouilles et les déposer dans une assiette. Réserver au chaud. Répéter l'opération avec le reste de nouilles.
4. Dans un wok ou la même grande poêle à fond épais, faire chauffer le reste de l'huile. Y sauter l'ail, le gingembre, l'oignon, la carotte, les échalotes vertes et les poivrons à feu élevé, jusqu'à ce qu'ils soient *al dente*.
5. Ajouter le porc et la sauce hoisin et cuire rapidement. Ajouter les haricots germés et remuer quelques secondes.
6. Délayer la fécule de maïs dans un peu de bouillon. Ajouter dans le wok, avec le reste du bouillon. Mélanger jusqu'à ébullition et épaississement. Saler et poivrer. Déposer les nouilles dans une assiette de service et se servir d'un couteau pour les défaire. Verser le mélange de porc par-dessus. Servir immédiatement.

À PROPOS...

Rien n'égale le bouillon maison: *Pour dégraisser un bouillon maison, réfrigérez-le pour que le gras remonte à la surface. Il est ainsi plus facile de le retirer. Un bouillon chaud est plus difficile à dégraisser à la louche. Il faut combiner cette méthode à la technique du papier absorbant, soit déposer un papier absorbant à la surface du bouillon pour qu'il absorbe l'excès de gras.*
Note: *Au Québec, on appelle communément échalote le légume qui ressemble à un poireau miniature doté de longues feuilles vertes. En fait, le nom suggéré par l'Office de la langue française est oignon vert, mais puisqu'il est mieux connu sous le nom d'échalote, nous utiliserons le terme échalote verte dans les recettes.*

1

2

3

4

5

6

RIZ FRIT AUX CREVETTES

Préparation: 15 minutes
Temps de cuisson: 10 minutes
Portions: 4

2 oeufs, légèrement battus
Sel et poivre
1 oignon
4 échalotes vertes
1/2 livre (250 g) de jambon cuit
2 c. à table (30 ml) d'huile d'arachide
4 tasses (1 l) de riz cuit, refroidi
1/4 de tasse (60 ml) de petits pois surgelés
2 c. à table (30 ml) de sauce soya
1/2 livre (250 g) de petites crevettes cuites et décortiquées

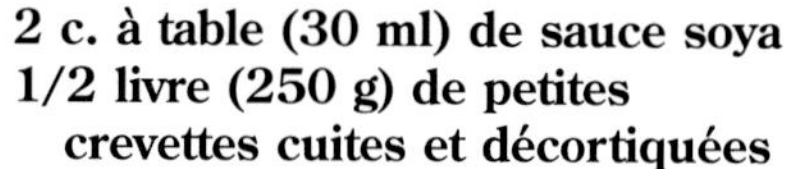

1. Saler et poivrer les oeufs. Couper l'oignon en segments. Couper les échalotes vertes en petits morceaux à la diagonale. Couper le jambon en fines lanières. Dans un wok ou une grande poêle à fond épais, faire chauffer 1 c. à table (15 ml) d'huile et y cuire les oeufs en une mince omelette.
2. Lorsque l'omelette est presque cuite, défaire en gros morceaux. Transférer dans une assiette et réserver.
3. Faire chauffer le reste de l'huile dans le wok. Ajouter l'oignon et faire sauter à feu élevé jusqu'à ce qu'il commence à être transparent. Ajouter le jambon et faire sauter 1 minute. Ajouter le riz, les petits pois et faire sauter jusqu'à ce que le riz soit chaud. Ajouter les oeufs, la sauce soya, les échalotes vertes et les crevettes. Mélanger pour réchauffer et servir.

À PROPOS...

Variez les saveurs en utilisant un reste de poulet ou de porc cuit en cubes. Les crevettes peuvent être substituées par de la chair de crabe. On peut omettre les petits pois et l'omelette, la garniture traditionnelle du riz frit.

1

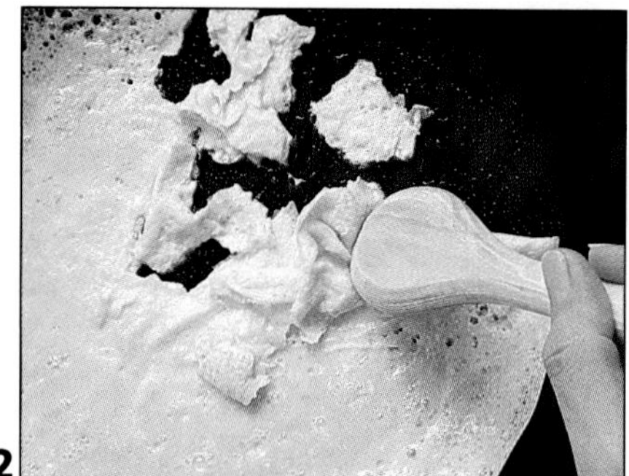

2

3

AUBERGINE À L'AIL

Préparation: 5 minutes
Temps de cuisson: 15 minutes
Portions: 4

1 grosse aubergine
6 c. à table (90 ml) d'huile de canola ou d'arachide
3 gousses d'ail, hachées finement
2 c. à table (30 ml) de sucre
2 c. à table (30 ml) de sauce soya
2 c. à table (30 ml) de vinaigre de cidre
1 c. à table (15 ml) de sherry
Sel et poivre

1. Couper l'aubergine en deux, puis en cubes de 1 1/4 po (3 cm).
2. Dans un wok ou une grande poêle à fond épais, faire chauffer 1 c. à table (15 ml) de l'huile. Y sauter la moitié des cubes d'aubergine environ 5 minutes à feu élevé, jusqu'à ce qu'ils soient légèrement dorés. Transférer dans une assiette. Répéter la même opération avec 1 c. à table (15 ml) d'huile et le reste de l'aubergine.
3. Faire chauffer le reste de l'huile dans le wok. Ajouter l'ail, le sucre, la sauce soya, le vinaigre, le sherry, le sel et le poivre. Porter à ébullition, en remuant. Ajouter les cubes d'aubergine et cuire environ 3 minutes pour permettre à la sauce d'être absorbée. Servir en légume d'accompagnement.

À PROPOS...

Ce sauté d'aubergine peut être cuit deux jours à l'avance. Il est aussi délicieux tiède que chaud. Vous pouvez ajouter un peu plus de sucre selon l'amertume de l'aubergine.

1

2

3

SALADE DE BROCOLI À LA CHINOISE

Préparation: 15 minutes
Temps de cuisson: 5 minutes
Portions: 4

1 brocoli
1 poivron rouge
Eau glacée
2 c. à table (30 ml) d'huile d'arachide
2 c. à thé (10 ml) d'huile de sésame
2 c. à thé (10 ml) de gingembre frais haché finement
2 c. à table (30 ml) de sauce soya
1 c. à table (15 ml) de sirop de maïs
Sel et poivre
1 c. à table (15 ml) de graines de sésame, grillées
2 échalotes vertes, tranchées finement (partie verte)

1. Couper le brocoli en bouquets moyens. Couper les tiges en petits morceaux. Peler la peau coriace des tiges, au besoin. Couper le poivron en fines lanières et réserver.
2. Cuire le brocoli dans l'eau bouillante salée ou à la vapeur dans une marguerite, jusqu'à ce qu'il soit *al dente*. Plonger le brocoli dans l'eau glacée pour arrêter la cuisson et préserver la couleur du brocoli. Égoutter et assécher sur du papier absorbant. Dans un bol de service, déposer le brocoli avec le poivron.
3. Mélanger les huiles, le gingembre, la sauce soya et le sirop de maïs. Verser sur la salade. Saler et poivrer. Mélanger, couvrir et réfrigérer. Saupoudrer de graines de sésame et d'échalotes vertes.

À PROPOS...

Truc: *Pour griller les graines de sésame, déposer-les en petites quantités dans une poêle à feu moyen et remuer jusqu'à ce qu'elles soient dorées. On peut aussi les faire dorer sur une plaque quelques minutes au four à 350 °F (180 °C).*
Technique: *Plonger le brocoli dans l'eau glacée permet d'arrêter la cuisson et de fixer la couleur verte. Cette technique s'applique à une foule d'autres légumes tels que les haricots, les pois mange-tout et les carottes.*

1

2

3

SAUTÉ DE LÉGUMES

Préparation: 5 minutes
Temps de cuisson: 5 minutes
Portions: 4

1 carotte
1 poivron rouge
1/4 de livre (125 g) de haricots verts
1 c. à table (15 ml) d'huile de canola ou d'arachide
2 gousses d'ail, hachées finement
1/2 livre (250 g) de champignons
1 1/2 c. à thé (7 ml) de fécule de maïs
1/3 de tasse (75 ml) de bouillon de poulet dégraissé
1 c. à thé (5 ml) d'huile de sésame
1 c. à thé (5 ml) de sucre
2 c. à thé (10 ml) de sauce soya
Sel et poivre

1. Trancher finement la carotte à la diagonale. Épépiner le poivron et couper en morceaux de grosseur moyenne. Équeuter les haricots et les couper en deux.
2. Dans un wok ou une grande poêle à fond épais, faire chauffer l'huile. Y sauter la carotte 30 secondes à feu élevé. Ajouter l'ail et le reste des légumes. Faire sauter à feu élevé jusqu'à ce que les légumes soient encore croquants.
3. Délayer la fécule de maïs dans un peu de bouillon. Mélanger avec le reste du bouillon, l'huile de sésame, le sucre et la sauce soya. Ajouter au wok en remuant. Brasser jusqu'à épaississement. Saler et poivrer au besoin.

À PROPOS...

Chou-fleur, oignon, céleri, poivron vert... utilisez les légumes que vous avez sous la main. Les sautés de légumes permettent d'employer des légumes qui dorment dans le réfrigérateur. Ajoutez-y des noix de cajous ou des pignons, si désiré.

1

2

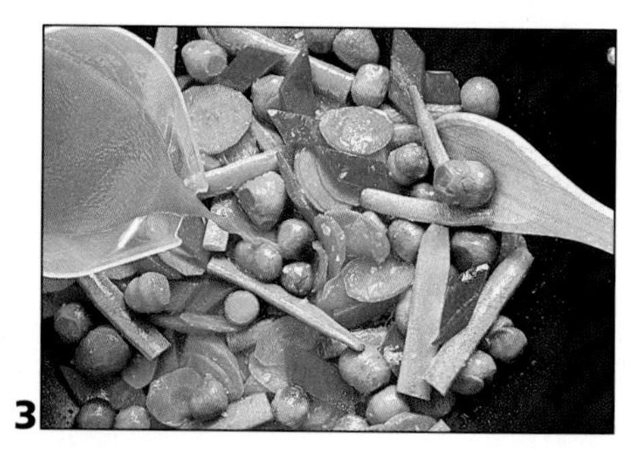
3

LÉGUMES CHINOIS BRAISÉS

Préparation: 15 minutes + 30 minutes de repos
Temps de cuisson: 20 minutes
Portions: 6

8 champignons chinois séchés
3 fines tranches de gingembre frais
2 gousses d'ail, hachées
2 c. à table (30 ml) d'huile d'arachide
1 grosse patate douce (patate sucrée), pelée, coupée en deux et tranchée
2 c. à table (30 ml) de sauce soya
1 c. à table (15 ml) de miel
2 c. à thé (10 ml) d'huile de sésame
1 1/2 oz (45 g) de tofu frit, en fines lanières (facultatif)
2 c. à thé (10 ml) de fécule de maïs
4 échalotes vertes, coupées en morceaux de 1 1/2 po (4 cm)
14 oz (398 ml) d'épis de maïs miniatures en conserve, égouttés
8 oz (227 ml) de châtaignes d'eau en conserve, égouttées
Sel et poivre

1. Réhydrater les champignons en les couvrant d'eau chaude. Laisser reposer 30 minutes. Égoutter et réserver 3/4 de tasse (180 ml) du liquide. Presser les champignons pour retirer l'excès d'eau. Équeuter. Trancher finement les champignons et le gingembre.
2. Dans un wok ou une grande poêle à fond épais, faire chauffer l'huile. Ajouter le gingembre et faire sauter 1 minute à feu moyen. Ajouter les champignons, l'ail et faire sauter 30 secondes. Ajouter la patate douce, la sauce soya, le miel, l'huile de sésame, le liquide des champignons et le tofu frit. Laisser mijoter à découvert pendant 15 minutes.
3. Délayer la fécule de maïs dans un peu d'eau. Ajouter dans le wok en remuant. Brasser jusqu'à épaississement. Ajouter les échalotes vertes, les épis de maïs et les châtaignes d'eau. Saler et poivrer. Laisser mijoter 1 minute.

À PROPOS...

Vendu réfrigéré dans les épiceries asiatiques, le tofu frit rehausse et complète les sautés de légumes. On peut soi-même faire frire des cubes de tofu ferme dans un peu d'huile d'arachide.

1

2

3

GELÉE À L'AMANDE

Préparation: 5 minutes + réfrigération
Temps de cuisson: 5 minutes
Portions: 4 à 6

1 tasse (250 ml) d'eau froide
2 c. à table (30 ml) de gélatine
1 tasse (250 ml) d'eau bouillante
1/3 de tasse (75 ml) de sucre
2/3 de tasse (150 ml) de lait concentré sucré en conserve
2 c. à thé (10 ml) d'essence d'amande

1. Dans une casserole, déposer l'eau froide. Saupoudrer de gélatine et laisser gonfler. Ajouter l'eau bouillante. Fondre la gélatine à feu doux, en remuant. Ajouter le sucre. Dissoudre. Ajouter le lait concentré sucré et l'essence d'amande.
2. Verser le mélange dans un moule carré de 8 po (20 cm), tapissé d'une pellicule de plastique. Réfrigérer jusqu'à ce que ce soit pris.
3. Couper en formes de diamants. On peut aussi démouler la gelée avant de la couper. Servir avec des fruits tels que les mandarines.

À PROPOS...

Côté desserts, la cuisine chinoise n'est pas très réputée, sauf peut-être pour ses biscuits et ses bananes frites en beignets. Pour terminer le repas, on opte bien souvent pour les fruits comme les litchis, la mangue et les mandarines, accompagnés, bien sûr, d'une bonne tasse de thé chinois.

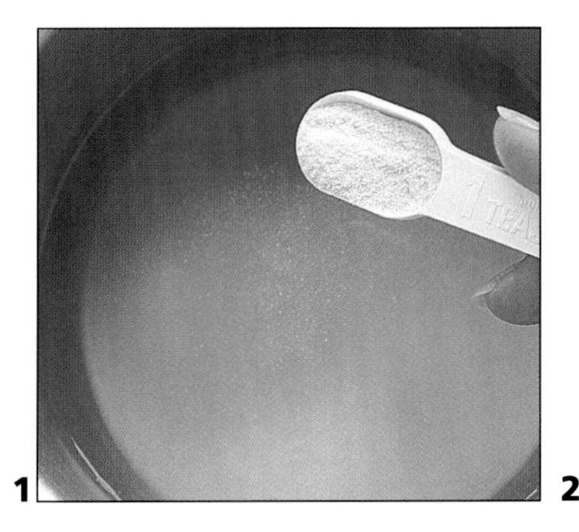

1

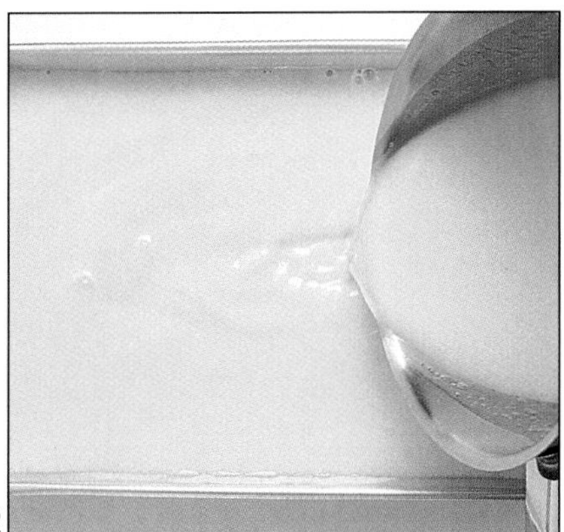

2

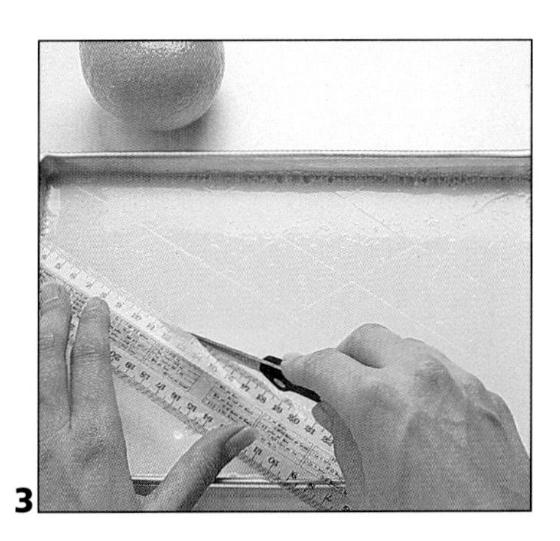

3

TARTELETTES AUX OEUFS

Préparation: 10 minutes
Temps de cuisson: 12 à 15 minutes
Portions: environ 18 tartelettes

Pâte extérieure

1 1/3 tasse (325 ml) de farine
2 c. à table (30 ml) de sucre à glacer
1/3 de tasse (75 ml) d'eau
2 c. à table (30 ml) d'huile végétale

Pâte intérieure

1 tasse (250 ml) de farine
1/3 de tasse (75 ml) de graisse végétale, en morceaux

Garniture

1/3 de tasse (75 ml) d'eau
1/4 de tasse (60 ml) de sucre
2 oeufs, légèrement battus
1 c. à thé (5 ml) d'essence de vanille

1. Préchauffer le four à 400 °F (200 °C). Beurrer 18 mini-moules à tartelettes.
   Pâte extérieure - Dans un bol, tamiser la farine et le sucre à glacer. Faire un puits au centre. Y verser le mélange d'eau et d'huile. Brasser rapidement. Pétrir jusqu'à l'obtention d'une pâte molle. Ajouter un peu plus d'eau au besoin. Envelopper d'une pellicule de plastique et réserver 15 minutes.
   Pâte intérieure - Dans un bol, tamiser la farine. Y couper la graisse végétale avec un coupe-pâte ou deux couteaux jusqu'à l'obtention d'une texture fine et granuleuse. Pétrir rapidement. Envelopper d'une pellicule de plastique et réserver 15 minutes.
   Abaisser la pâte extérieure sur une pellicule de plastique et former un rectangle de 8 x 4 po (20 x 10 cm). Abaisser la pâte intérieure entre deux pellicules de plastique et former un rectangle un tiers plus petit que le premier rectangle. Déposer la pâte intérieure sur la pâte extérieure. Retirer les pellicules de plastique.
2. Sur une surface farinée, abaisser le rectangle de pâte à 1/8 de po (0,25 cm) d'épaisseur.
3. **Garniture** - Dans une casserole, déposer l'eau et le sucre. Porter à ébullition. Remuer jusqu'à ce que le sucre soit dissous. Laisser refroidir 5 minutes. Incorporer le sirop graduellement dans les oeufs en fouettant. Ajouter l'essence de vanille.
4. Foncer les moules.
5. Remplir chaque croûte de la garniture, jusqu'au 2/3. Cuire au four de 12 à 15 minutes. Ne pas surcuire; le mélange devrait être à peine fixe.
6. Laisser reposer 3 minutes avant de démouler. Glisser un couteau le long d'un côté de chaque tartelette pour la retirer plus aisément. Laisser refroidir sur une grille. Servir froid.

À PROPOS...

La pâte de ces tartelettes possède une texture vraiment particulière. Si le temps vous presse, vous pouvez employer de la pâte brisée du commerce. Si la pâte est congelée, faire décongeler complètement à la température de la pièce avant l'utilisation.

1

2

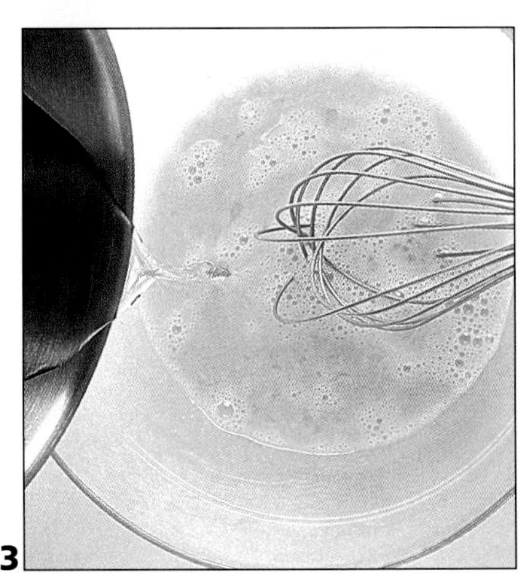

3

4

5

6

LA CUISINE DU SUD-EST ASIATIQUE

(THAÏLANDAISE, VIETNAMIENNE, INDONÉSIENNE...)

SOUPE DE NOUILLES AU BOEUF

Préparation: 30 minutes + 1 heure de macération
Temps de cuisson: 30 minutes
Portions: 4

3/4 de livre (375 g) de filet de boeuf, en fines lanières
2 c. à thé (10 ml) de sauce soya
1/4 de tasse (60 ml) de lait de coco
1 c. à table (15 ml) de beurre d'arachide
1 c. à table (15 ml) de sucre de palme ou de cassonade
2 c. à thé (10 ml) de sambal oelek ou 1 petit piment fort, haché finement
2 c. à thé (10 ml) d'huile de canola ou d'arachide
1/4 de livre (125 g) de vermicelles de riz
1 concombre anglais
6 tasses (1,5 l) de bouillon de boeuf dégraissé, maison de préférence
2 c. à table (30 ml) de sucre de palme ou de cassonade supplémentaire
2 c. à table (30 ml) de sauce de poisson (voir note)
1 tasse (250 ml) de haricots germés
2 feuilles de laitue, déchiquetées
1/3 de tasse (75 ml) de feuilles de menthe fraîche hachées finement
1/2 tasse (125 ml) d'arachides grillées, hachées finement
Sel et poivre

1. Mélanger la viande, la sauce soya, le lait de coco, le beurre d'arachide, le sucre de palme ou de cassonade et le sambal oelek ou le piment fort. Couvrir et réfrigérer 1 heure.
2. Dans une poêle antiadhésive ou un wok, chauffer l'huile. Y sauter la viande à feu élevé, quelques lanières à la fois, jusqu'à ce qu'elle soit colorée. Saler et poivrer. Retirer du feu et couvrir. Faire tremper les vermicelles de riz 10 minutes dans l'eau chaude. Égoutter.
3. Couper le concombre en quatre sur la longueur, puis en tranches fines. Porter le bouillon à ébullition. Ajouter le sucre de palme ou la cassonade supplémentaire et la sauce de poisson. Dans chaque bol de service, déposer environ 1 c. à table (15 ml) de tranches de concombre et y répartir les haricots germés, la laitue et la menthe. Dans chaque bol, déposer un peu de vermicelles, les lanières de boeuf et une louche de bouillon. Saupoudrer d'arachides. Servir immédiatement.

À PROPOS...

À défaut de sambal oelek, cette pâte de piments forts, les piments forts frais, séchés ou vendus en pot dans une saumure, conviennent parfaitement, mais on peut aussi utiliser un peu de cayenne. Dans cette recette, la sauce soya peut remplacer la sauce de poisson. Allez-y avec parcimonie.

1

2

3

SOUPE THAÏ AUX CREVETTES

Préparation: 10 minutes
Temps de cuisson: 20 minutes
Portions: 4 à 6

1 livre (500 g) de crevettes moyennes
1 c. à table (15 ml) d'huile de canola ou d'arachide
6 tasses (1,5 l) d'eau
3 gousses d'ail, hachées grossièrement
Sel et poivre
1 lime, coupée en deux
1/2 c. à thé (2 ml) de pâte de piments forts (type harissa)
1 branche de baume de mélisse, hachée grossièrement
1 c. à table (15 ml) de coriandre fraîche hachée ou 1 c. à thé (5 ml) de coriandre en purée
2 échalotes vertes, tranchées finement
1 c. à table (15 ml) de sauce de poisson ou de sauce soya
Jus de 1 lime fraîche

1. Décortiquer et déveiner les crevettes. Réserver les têtes et les écailles. Dans une casserole, chauffer l'huile. Ajouter les écailles et les têtes de crevettes. Remuer à feu élevé jusqu'à ce qu'elles deviennent roses. Ajouter l'eau, l'ail, le sel, le poivre, la lime, la pâte de piments forts, le baume de mélisse et le poivre. Porter à ébullition. Réduire le feu et laisser mijoter 15 minutes à découvert.
2. Passer le bouillon dans un tamis fin ou dans un coton à fromage.
3. Porter le bouillon à ébullition. Ajouter les crevettes et poursuivre la cuisson jusqu'à ce que les crevettes changent de couleur. Retirer du feu. Ajouter la coriandre, les échalotes vertes, la sauce de poisson et le jus de lime. Servir immédiatement.

À PROPOS...

Le baume de mélisse est une herbe fraîche vendue dans les supermarchés. On l'appelle à tort citronnelle parce qu'elle possède un arôme de citron.

1

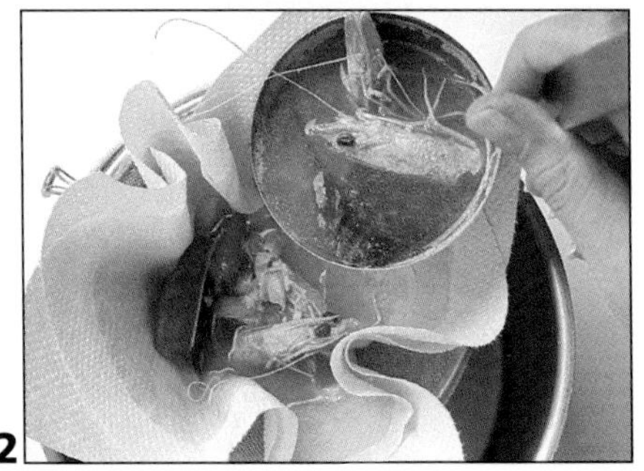
2

3

ROULEAUX AU PORC ET AU CRABE

Préparation: 40 minutes
Temps de cuisson: 25 minutes
Portions: 25 rouleaux

1 tasse (250 ml) de haricots germés, hachés grossièrement
6 1/2 oz (200 g) de porc haché maigre
6 1/2 oz (200 g) de bâtonnets de crabe, déchiquetés
1 carotte, râpée
1 oignon, haché finement
3 échalotes vertes, hachées finement
1 c. à table (15 ml) de sauce de poisson ou de sauce soya
1/2 c. à thé (2 ml) de poivre
Sel
1/2 livre (250 g) de pâte de rouleaux de printemps
Huile de canola ou d'arachide pour la friture
1 laitue Boston ou Iceberg
1/2 tasse (125 ml) de menthe vietnamienne fraîche ou de menthe
1 concombre anglais, coupé en bâtonnets
Sauce soya ou sauce aux prunes pour servir

1. Dans un bol, mélanger les haricots germés, le porc, le crabe, la carotte, l'oignon, les échalotes vertes, la sauce de poisson ou la sauce soya, le poivre et le sel.
2. Tremper une feuille de pâte de rouleaux de printemps dans l'eau bouillante pendant 1 minute. Déposer la feuille de pâte devant soi. Déposer 2 c. à table (30 ml) de farce au centre de la pâte. Façonner la farce en petite saucisse. Plier le coin du devant sur la farce. Replier les côtés vers le centre, puis rouler vers l'avant pour former un rouleau. Répéter l'opération avec le reste des feuilles de pâte.
3. Faire chauffer l'huile de la friteuse à 350 °F (180 °C). Y frire 3 à 4 rouleaux à la fois, jusqu'à ce qu'ils soient dorés. Égoutter sur du papier absorbant. Pour servir, chaque personne dépose un rouleau sur une feuille de laitue, y ajoute un brin de menthe et un bâtonnet de concombre. Rouler la feuille de laitue pour enfermer tous les ingrédients, puis tremper le rouleau dans la sauce soya ou la sauce aux prunes.

À PROPOS...

La pâte à rouleaux de printemps est disponible dans les épiceries asiatiques et dans les magasins d'aliments naturels. On peut aussi utiliser de la pâte à egg roll. Ces rouleaux se congèlent jusqu'à un mois.

1

2

3

POULET INDONÉSIEN À LA NOIX DE COCO

Préparation: 15 minutes + 1 heure de macération
Temps de cuisson: 50 minutes
Portions: 4

8 à 12 pilons de poulet (voir note)
2 gousses d'ail, hachées finement
1/2 c. à thé (2 ml) de poivre noir moulu
Sel
2 c. à thé (10 ml) de cumin moulu
2 c. à thé (10 ml) de coriandre moulue
1/2 c. à thé (2 ml) de fenouil moulu
1/2 c. à thé (2 ml) de cannelle moulue
3 c. à table (45 ml) d'huile de canola ou d'arachide
3 oignons, tranchés finement
1 tasse (250 ml) de lait de coco
1 tasse (250 ml) d'eau
1 c. à table (15 ml) de jus de citron

1. Déposer les pilons de poulet dans un plat. Mélanger l'ail, le poivre, le sel, le cumin, la coriandre, le fenouil, la cannelle et 2 c. à table (30 ml) d'huile. Étendre le mélange sur le poulet. Couvrir et laisser macérer 1 heure au réfrigérateur.
2. Dans une poêle, chauffer le reste de l'huile. Ajouter les oignons et cuire en remuant, jusqu'à tendreté. Ajouter le poulet et cuire 2 minutes à feu moyen-élevé.
3. Mélanger le lait de coco, l'eau et le jus de citron. Verser sur le poulet. Couvrir et laisser mijoter doucement, jusqu'à ce que le poulet soit cuit et que la sauce soit réduite, soit environ 40 minutes. Servir avec du riz.

À PROPOS...

Cet poulet est aussi délicieux lorsqu'on retire la peau avant la cuisson; les arômes de la marinade pénètrent alors directement dans la chair du poulet.

1

2

3

SALADE VIETNAMIENNE AU POULET

Préparation: 40 minutes
Temps de cuisson: 5 minutes
Portions: 4

4 suprêmes de poulet cuits, en lanières
1 tasse (250 ml) de céleri tranché finement
2 carottes, en juliennes
1 tasse (250 ml) de chou tranché finement
1 oignon, tranché
1/4 de tasse (60 ml) de coriandre fraîche
1/4 de tasse (60 ml) de feuilles de menthe fraîches tranchées finement

Vinaigrette

3 c. à table (45 ml) de sucre
2 c. à table (30 ml) d'eau
1 c. à table (15 ml) de sauce de poisson ou de sauce soya
1 gousse d'ail, hachée finement
2 c. à table (30 ml) de vinaigre blanc
1 piment rouge fort, épépiné et haché finement

Garniture

2 c. à table (30 ml) d'huile d'arachide
1 gousse d'ail, hachée finement
1/3 de tasse (75 ml) d'arachides grillées, hachées finement
1 c. à table (15 ml) de cassonade ou 2 c. à thé (10 ml) de sucre

1. Dans un bol, mélanger le poulet, le céleri, les carottes, le chou, l'oignon, la coriandre et la menthe.
2. Dans un bol, mélanger tous les ingrédients de la vinaigrette. Fouetter jusqu'à ce que le sucre soit dissous. Verser la vinaigrette sur le poulet et mélanger. Répartir dans des assiettes de service.
3. Dans un wok ou une poêle à fond épais, chauffer l'huile d'arachide à température moyenne-élevée. Ajouter l'ail et remuer rapidement. Ajouter les arachides et la cassonade ou le sucre. Mélanger jusqu'à ce que le sucre soit dissous. Saupoudrer sur la salade juste avant de servir.

À PROPOS...

Le poulet, la vinaigrette et la garniture peuvent être préparés plusieurs heures à l'avance. Assembler juste avant de servir.

1

2

3

BROCHETTES DE BOEUF AUX PARFUMS DE MALAISIE

Préparation: 30 minutes + 2 heures de macération
Temps de cuisson: 8 à 10 minutes
Portions: 8 à 10 brochettes

1 1/2 livre (750 g) de boeuf dans la ronde
1 oignon, râpé
1/2 c. à thé (2 ml) de zeste de citron râpé finement
1 c. à thé (5 ml) de curcuma moulu
1 c. à thé (5 ml) de cumin moulu
1 c. à thé (5 ml) de sel
Poivre
1 c. à table (15 ml) de cassonade
1 c. à table (15 ml) de sauce soya
1/2 tasse (125 ml) de lait de coco

1. Dégraisser le boeuf et couper contre le grain en fines et longues lanières. Dans un bol, mélanger le boeuf et le reste des ingrédients. Couvrir et réfrigérer 2 heures, de préférence toute une nuit, en mélangeant le boeuf de temps à autre.
2. Enfiler la viande sur des brochettes en bambou, préalablement trempées dans l'eau.
3. Déposer les brochettes dans un plat allant au four, légèrement huilé. Cuire sous le gril chaud du four, jusqu'à ce que la viande soit cuite, soit de 8 à 10 minutes. Retourner les brochettes de temps à autre et les badigeonner de marinade. Servir avec du riz et garnir de tranches de concombre et de quartiers d'oignons.

À PROPOS...

La viande peut mariner jusqu'à 24 heures au réfrigérateur. Plus elle macère longtemps, plus elle s'attendrit et se gorge de saveurs.

1

2

3

NOUILLES THAÏLANDAISES CROUSTILLANTES

Préparation: 30 minutes
Temps de cuisson: 20 minutes
Portions: 4 à 6

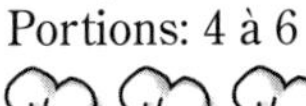

Huile d'arachide pour la friture
1/4 de livre (125 g) de vermicelles de riz
2 gousses d'ail, hachées finement
1/2 livre (250 g) de porc haché maigre
Sel et poivre
8 crevettes moyennes, décortiquées et déveinées
2 c. à table (30 ml) de sucre
2 c. à table (30 ml) de vinaigre blanc
1 c. à table (15 ml) de sauce de poisson ou de sauce soya
1 piment rouge fort, épépiné et haché finement
1 c. à thé (5 ml) de coriandre moulue
2 oeufs, légèrement battu
1 tasse (250 ml) de haricots germés

1. Dans un wok, chauffer l'huile. À l'aide de pinces, déposer de petites quantités de vermicelles dans l'huile. Frire chaque portion de vermicelles jusqu'à ce qu'ils soient dorés. Les tourner pour les colorer de toute part. Égoutter sur du papier absorbant. Laisser tiédir l'huile à la température de la pièce.
2. Garder 1 c. à table (15 ml) d'huile dans le wok. Chauffer l'huile. Y ajouter l'ail et le porc haché. Cuire à feu élevé jusqu'à ce que le porc soit bien coloré. Saler et poivrer. Ajouter les crevettes et remuer pendant 30 secondes. Ajouter le sucre, le vinaigre, la sauce de poisson ou la sauce soya, le piment fort et la coriandre. Porter à ébullition. Ajouter les oeufs en remuant.
3. Ajouter les haricots germés et cuire rapidement jusqu'à ce qu'ils soient chauds et croquants. Avant de servir, ajouter les nouilles frites. Servir immédiatement.

À PROPOS...

Conservation: *Vous pouvez également frire les vermicelles de riz dans une friteuse. Préparez-les à l'avance. Ils se conservent de deux à trois jours dans un contenant hermétique.*

Truc: *Rien ne sert de vouloir prendre de l'avance en tentant de cuire trop de nouilles à la fois car elles ne deviendront pas croquantes.*

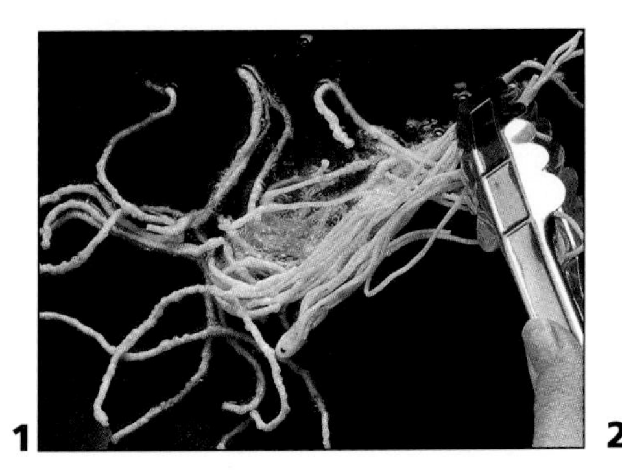
1

2

3

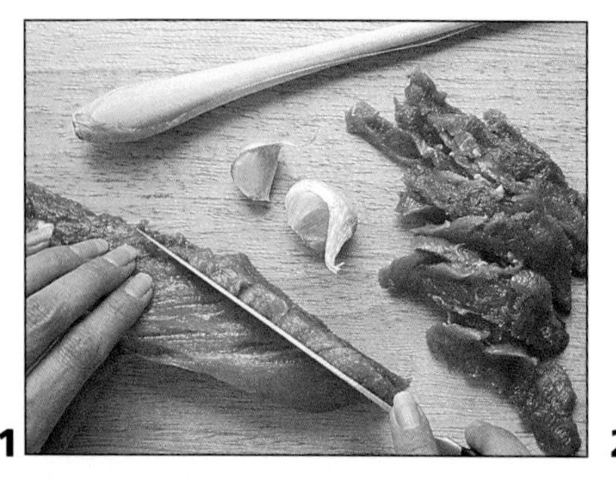
1

2

3

4

5

6

BROCHETTES DE PORC ÉPICÉ

Préparation: 30 minutes + macération toute une nuit
Temps de cuisson: 12 minutes
Portions: 8 brochettes

1 1/2 livre (750 g) de filets de porc
1 oignon, haché grossièrement
2 gousses d'ail
1 morceau de citronnelle fraîche (partie bulbeuse), haché ou 2 lanières de zeste de citron
1 c. à thé (5 ml) de gingembre frais râpé finement
1 c. à table (15 ml) de coriandre moulue
1 c. à thé (5 ml) de curcuma
1/2 c. à thé (2 ml) de sel
Poivre
1 c. à table (15 ml) de cassonade
1 c. à table (15 ml) de jus de citron

1. Déposer le porc 30 minutes au congélateur pour faciliter le découpage. Trancher la viande contre le grain pour former de longues et fines lanières.
2. Au robot culinaire, déposer l'oignon et actionner jusqu'à ce que ce soit lisse. Ajouter les gousses d'ail et la citronnelle ou le zeste de citron. Actionner jusqu'à ce que ce soit lisse. Ajouter un peu d'eau au besoin. Transférer le mélange dans un bol.
3. Ajouter le gingembre, la coriandre, le curcuma, le sel, le poivre, la cassonade et le jus de citron.
4. Ajouter la viande et bien mélanger. Couvrir et laisser macérer toute une nuit au réfrigérateur. Retourner la viande de temps à autre. Égoutter et réserver la marinade.
5. Enfiler la viande sur des brochettes en bambou, préalablement trempées dans l'eau. Si les brochettes n'ont pas trempé dans l'eau, couvrir les bouts de papier d'aluminium pour éviter qu'ils ne brûlent.
6. Déposer les brochettes dans un plat allant au four, légèrement huilé. Cuire sous le gril chaud du four environ 6 minutes de chaque côté. Badigeonner de marinade pendant la cuisson. Servir immédiatement avec un chutney à l'ananas (voir À propos...)

À PROPOS...

Note: *Ces brochettes sont aussi délicieuses lorsqu'elles sont cuites sur le barbecue, à feu moyen-élevé.*

Pour un délicieux chutney à l'ananas: *Peler un ananas mûr et retirer le coeur dur. Couper la chair en morceaux de 3/4 de po (2 cm) et les déposer dans un bol. Saupoudrer de 1/4 de c. à thé (1 ml) de sel, 1/4 de c. à thé (1 ml) de poudre de chili, 2 c. à table (30 ml) d'échalotes vertes hachées finement (partie verte) et de 2 c. à table (30 ml) d'arachides salées hachées grossièrement. Le chutney à l'ananas peut être préparé quelques heures à l'avance. Il suffit de le réfrigérer et d'ajouter les échalotes vertes à la dernière minute.*

CÔTELETTES D'AGNEAU À LA NOIX DE COCO

Préparation: 10 minutes + 2 heures de macération
Temps de cuisson: 10 minutes
Portions: 3 à 4

2 gousses d'ail, hachées
1/2 c. à thé (2 ml) de sel
1/4 de c. à thé (1 ml) de poivre
1 c. à table (15 ml) de cassonade
1 tasse (250 ml) de chapelure de pain brun sec (voir note)
1/3 de tasse (75 ml) de noix de coco râpée
1 c. à table (15 ml) de sauce soya
2 c. à table (30 ml) de jus de citron
3 c. à table (45 ml) de beurre fondu
12 côtelettes d'agneau, dégraissées

1. Dans un bol, mélanger tous les ingrédients, sauf les côtelettes.
2. Presser le mélange de noix de coco sur les côtelettes. Laisser macérer 2 heures au réfrigérateur.
3. Préchauffer le four à 500 °F (250 °C). Déposer les côtelettes dans un plat allant au four, légèrement huilé. Cuire au four de 10 à 15 minutes selon l'épaisseur des côtelettes et le degré de cuisson désiré.

À PROPOS...

Préparation: *Dégraissez les côtelettes d'agneau car c'est le gras qui procure la saveur prononcée à cette viande.*
Note: *Pour préparer la chapelure de pain brun sec, faites griller 2 à 3 tranches de pain brun dans un grille-pain. Réduisez-les en chapelure au robot ou avec un rouleau à pâtisserie.*

1

2

3

1

2

3

SAUCE AUX ARACHIDES

Préparation: 15 minutes
Temps de cuisson: 15 minutes
Portions: environ 3 tasses (750 ml) de sauce diluée

2 c. à table (30 ml) d'huile d'arachide
1/2 à 1 c. à thé (2 à 5 ml) de piments forts séchés, hachés finement
5 gousses d'ail, hachées finement
1/4 de tasse (60 ml) d'oignons en flocons séchés
1 c. à table (15 ml) de sauce soya
1 tasse (250 ml) de beurre d'arachide croquant
2 c. à table (30 ml) de cassonade
1/2 tasse (125 ml) d'arachides, grillées, hachées finement
2/3 de tasse (150 ml) de lait de coco
Sel et poivre

Concentré de sauce aux arachides

1. Dans un wok, chauffer la moitié de l'huile. Ajouter les piments et cuire rapidement. Ajouter l'ail et les oignons en flocons. Cuire jusqu'à ce que ce soit doré.
2. Ajouter la sauce soya et le beurre d'arachide et remuer jusqu'à ce que ce soit lisse.
3. Incorporer la cassonade et les arachides. Déposer dans un contenant propre et sec, couvrir et garder au réfrigérateur.

Pour servir- Il faut diluer le mélange dans une casserole. Faire chauffer 2/3 de tasse (150 ml) de lait de coco et ajouter 2/3 de tasse (150 ml) de concentré de sauce aux arachides. Brasser jusqu'à ce que ce soit lisse.

À PROPOS...

Conservation: *Le concentré de sauce aux arachides se conserve plusieurs semaines dans un contenant hermétique au réfrigérateur. Une fois dilué avec le lait de coco, servez immédiatement la sauce ainsi obtenue.*

Variation: *On peut varier la quantité de lait de coco, selon la consistance désirée. Cette sauce est délicieuse avec des brochettes de poulet ou de boeuf, et avec des légumes. À défaut de piments séchés, utilisez de la cayenne à votre convenance.*

1

2

3

4

RIZ FRIT INDONÉSIEN

Préparation: 20 minutes
Temps de cuisson: 20 minutes
Portions: 6

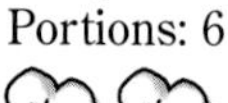

2 c. à thé (10 ml) d'huile de canola ou d'arachide
Sel et poivre
2 oeufs, légèrement battus
2 oignons, hachés
2 gousses d'ail
3 c. à table (45 ml) d'huile de canola ou d'arachide supplémentaire
1/2 livre (250 g) de crevettes, décortiquées et déveinées
1/4 de livre (125 g) de boeuf dans la ronde, tranché finement
1 suprême de poulet cuit, tranché finement
5 tasses (1,25 l) de riz cuit, refroidi
1 c. à table (15 ml) de sauce soya
1 c. à table (15 ml) de sauce de poisson (facultatif)
1 c. à table (15 ml) de pâte de piments forts (type harissa et sambal oelek)
1 c. à table (15 ml) de pâte de tomates
6 échalotes vertes, hachées finement
Échalotes vertes, concombre anglais, piments rouges forts pour garnir

5

1. Dans un wok ou une poêle à fond épais, chauffer l'huile. Saler et poivrer les oeufs et les cuire dans le wok pour obtenir une omelette mince. Lorsque cuite, déposer dans une assiette et laisser refroidir. Couper en fines lanières et réserver.
2. Au robot culinaire, hacher finement les oignons et l'ail. On peut aussi les hacher finement au couteau. Dans le wok, chauffer l'huile supplémentaire et cuire les oignons et l'ail, en remuant souvent, jusqu'à ce qu'ils soient tendres.
3. Ajouter les crevettes et le boeuf. Sauter à feu élevé jusqu'à ce que les crevettes changent de couleur. Ajouter le poulet cuit et le riz froid. Brasser jusqu'à ce que le tout soit chaud. Mélanger la sauce soya, la sauce de poisson, la pâte de piments forts, la pâte de tomates et les échalotes vertes. Ajouter au mélange de riz. Bien mélanger. Retirer du feu. Déposer dans une assiette de service. Garnir de lanières d'omelette, de concombre, d'échalotes frisées et de piments frisés.

4. **Échalotes frisées** - Couper les échalotes vertes en morceaux de 3 po (7,5 cm). Couper une tranche fine du

piment pour obtenir un anneau. Enfiler l'anneau sur un morceau d'échalote. Faire des incisions fines à un bout de l'échalote. Déposer dans de l'eau glacée jusqu'à ce que l'échalote verte se mette à friser. Répéter l'opération avec les autres morceaux d'échalote.

5. **Piments frisés** - Prendre un couteau très tranchant et faire cinq incisions le long de chaque piment, arrêter juste avant la base. Déposer dans un bol rempli d'eau glacée, environ 30 minutes, ou jusqu'à ce que le piment "frise".

À PROPOS...

Utilisez un reste de riz, de viande ou de poulet pour préparer cette recette. Un reste de porc cuit ou de jambon convient parfaitement.

1

2

3

4

LAIT GLACÉ À LA NOIX DE COCO

Préparation: 30 minutes + congélation toute une nuit
Temps de cuisson: 5 à 10 minutes
Portions: 6

Lait glacé à la noix de coco

1/4 de tasse (60 ml) d'eau froide
2 c. à thé (10 ml) de gélatine
3/4 de tasse (180 ml) d'eau bouillante
1 tasse (250 ml) de sucre
1 2/3 tasse (400 ml) de lait de coco en conserve

Garniture à la noix de coco caramélisée

2 tasses (500 ml) de noix de coco râpée
1/3 de tasse (75 ml) d'eau bouillante
1/2 tasse (125 ml) de cassonade
1/4 de tasse (60 ml) d'eau

1. Dans une casserole, faire gonfler la gélatine dans l'eau froide. Ajouter l'eau bouillante et remuer pour bien dissoudre. Ajouter le sucre. Porter à ébullition en remuant jusqu'à ce que le sucre soit dissous. Retirer du feu.
2. Ajouter le lait de coco. Transférer le mélange dans une sorbetière et turbiner selon les indications du fabricant. À défaut de sorbetière, verser le mélange dans une plaque métallique peu profonde et froide. Déposer au congélateur. Congeler jusqu'à ce que ce soit à moitié pris. Battre au batteur électrique. Congeler à nouveau. Répéter cette opération deux à trois fois pour obtenir une belle texture. Décorer de garniture à la noix de coco caramélisée.
3. **Garniture à la noix de coco caramélisée** - Dans un bol, déposer la noix de coco et verser l'eau bouillante par-dessus. Mélanger doucement pour bien humecter la noix de coco. Dans une casserole, mélanger la cassonade et l'eau. Cuire à feu moyen jusqu'à ce que la cassonade soit dissoute. Porter à ébullition. Ajouter la noix de coco. Remuer à feu modéré jusqu'à ce que le sirop soit presque tout évaporé. Réduire le feu et remuer sans arrêt jusqu'à ce que le mélange soit sec.
4. Retirer du feu lorsque le mélange est sec et doré. Remuer jusqu'à ce que ce soit presque froid. Étendre la préparation sur une plaque beurrée et laisser refroidir. La garniture à la noix de coco sera cristallisée lorsque froide. Briser en petits morceaux pour servir sur le lait glacé à la noix de coco. Garder la garniture à la noix de coco dans un contenant hermétique.

À PROPOS...

Assurez-vous que la gélatine soit complètement dissoute avant de retirer la casserole du feu.

POUDING AU TAPIOCA ET AU LAIT DE COCO

Préparation: 5 minutes
Temps de cuisson: 20 minutes
Portions: 4

2 1/2 tasses (625 ml) de lait
1/3 de tasse (75 ml) de sucre
1 1/2 tasse (375 ml) de lait de coco

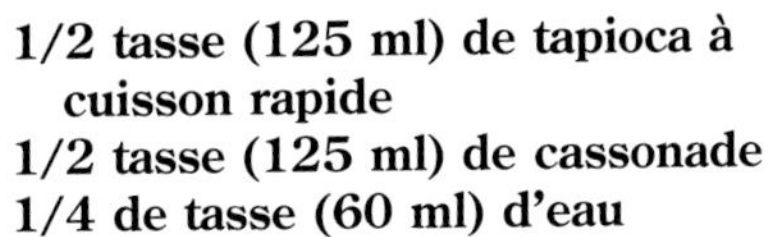

1/2 tasse (125 ml) de tapioca à cuisson rapide
1/2 tasse (125 ml) de cassonade
1/4 de tasse (60 ml) d'eau

1. Dans une casserole, porter à ébullition le lait, le sucre et 1/2 tasse (125 ml) de lait de coco. Ajouter le tapioca graduellement. Laisser mijoter 6 minutes.
2. Dans un bol de 6 tasses (1,5 l) légèrement huilé, verser le mélange précédent puis incorporer 2 c. à table (30 ml) de lait de coco. Laisser prendre à la température de la pièce.
3. Dans une casserole, mélanger la cassonade et l'eau. Porter à ébullition. Laisser mijoter jusqu'à ce que le sucre soit dissous. Réfrigérer le sirop. Démouler le pouding sur une assiette de service ou déposer dans des coupes individuelles. Servir le reste de lait de coco et le sirop en accompagnement pour que chacun arrose sa portion de pouding.

1

2

3

LA CUISINE INDIENNE

SAMOSAS AU BOEUF ET CHUTNEY À LA MENTHE

Préparation: 50 minutes
Temps de cuisson: 15 minutes
Portions: 20 samosas

2 c. à table (30 ml) d'huile végétale
1 oignon, haché finement
2 c. à thé (10 ml) de gingembre frais haché finement
1 livre (500 g) de boeuf haché maigre
1 c. à table (15 ml) de cari
Sel et poivre
1 tomate, pelée et hachée
1 pomme de terre, pelée, en petits dés
1/4 de tasse (60 ml) d'eau
1 c. à table (15 ml) de menthe fraîche hachée finement ou 1/2 c. à thé (2 ml) de menthe séchée
2 livres (1 kg) de pâte feuilleté du commerce, décongelée
1 jaune d'oeuf, légèrement battu

Chutney à la menthe

1 tasse (250 ml) de menthe fraîche
4 échalotes vertes
1 piment rouge fort, épépiné
1/4 de c. à thé (1 ml) de sel
1 c. à table (15 ml) de jus de citron
2 c. à thé (10 ml) de sucre
1/4 de c. à thé (1 ml) de garam masala ou de cari
1/4 de tasse (60 ml) d'eau

1. Dans une casserole, fondre l'oignon et le gingembre dans l'huile. Ajouter la viande, le cari et cuire en remuant à feu élevé jusqu'à ce que le boeuf soit coloré. Émietter le boeuf avec une fourchette pendant la cuisson. Saler et poivrer. Ajouter la tomate et cuire 3 minutes à découvert. Ajouter la pomme de terre et l'eau. Poursuivre la cuisson pendant 5 minutes. Retirer du feu. Laisser refroidir. Incorporer la menthe.
2. Préchauffer le four à 425 °F (220 °C). Abaisser la pâte feuilletée à 1/8 de po (0,25 cm) d'épaisseur. Y découper des cercles d'environ 5 po (12,5 cm) de diamètre à l'aide d'une petite assiette. Couper le cercle de pâte en deux. Replier en deux et pincer les côtés en laissant une seule ouverture pour pouvoir les farcir.
3. Déposer 2 c. à thé (10 ml) de farce dans chaque samosa. Pincer le bord de l'ouverture pour bien la sceller. Déposer les samosas sur une plaque légèrement beurrée. Battre le jaune d'oeuf et badigeonner légèrement la pâte. Cuire au four de 10 à 15 minutes, jusqu'à ce que ce soit doré.

Chutney à la menthe - Hacher grossièrement la menthe, les échalotes vertes et le piment. Réduire en purée au robot culinaire avec le reste des ingrédients. Servir en accompagnement des samosas chauds.

À PROPOS...

Le chutney est un condiment aigre-doux fait à partir de fruits et/ou de légumes cuits avec du sucre, du jus de citron ou du vinaigre et des épices. Il doit avoir la consistance d'une confiture. Très populaire en Inde, il relève agréablement les plats.

2

3

POISSON À LA CORIANDRE

Préparation: 3 minutes
Temps de cuisson: 10 minutes
Portions: 4

2 c. à table (30 ml) de ghee (beurre clarifié)
4 filets de poisson blanc
1 oignon, haché finement
1 gousse d'ail, hachée finement
1 c. à thé (5 ml) de coriandre moulue
1/2 c. à thé (2 ml) de curcuma
1/2 c. à thé (2 ml) de piments séchés en flocons
1 c. à table (15 ml) de pâte de tomates
1/2 tasse (125 ml) d'eau
Sel et poivre
1/4 de tasse (60 ml) de coriandre fraîche hachée finement

1. Dans une grande poêle, chauffer le beurre clarifié. Y cuire deux filets de poisson à la fois, 1 minute de chaque côté. Transférer dans une assiette. Ajouter l'oignon et l'ail dans la poêle. Cuire à feu moyen jusqu'à tendreté. Ajouter la coriandre, le curcuma et les piments. Remuer et cuire 30 secondes de plus.
2. Ajouter la pâte de tomates et l'eau. Laisser mijoter 2 minutes. Ajouter les filets de poisson et bien les enrober de sauce. Saler et poivrer.
3. Cuire 1 à 2 minutes de chaque côté, jusqu'à ce que le poisson s'émiette avec une fourchette. Juste avant de servir, ajouter la coriandre fraîche. Servir avec du riz ou du pain indien paratha (voir recette page 76).

À PROPOS...

Pour préparer le ghee, il suffit de chauffer du beurre dans une casserole jusqu'à ce qu'il mousse. Puis, avec une cuillère, retirez la mousse formée à la surface et versez le beurre chaud dans un bol. Jetez les particules solides qui se trouvent au fond de la casserole. Ce beurre clarifié a l'avantage de supporter une chaleur intense sans brûler. Dans cette recette, on pourrait aussi utiliser moitié huile et moitié beurre.

1

2

3

CARI DE CREVETTES

Préparation: 30 minutes
Temps de cuisson: 15 minutes
Portions: 4 à 6

1 oignon, haché grossièrement
2 gousses d'ail
1 c. à thé (5 ml) de paprika
1/2 c. à thé (2 ml) de curcuma
2 piments rouges forts, épépinés
1 c. à table (15 ml) de beurre
1 c. à table (15 ml) d'huile végétale
1 tasse (250 ml) de crème 35% régulière ou 15% épaisse
2 livres (1 kg) de crevettes, décortiquées et déveinées, les queues intactes
2 c. à thé (10 ml) de cassonade
Sel et poivre

Salade aux tomates et aux oignons

1 gros oignon rouge
1 grosse tomate
Sel et poivre
1/4 de tasse (60 ml) de coriandre ou de menthe fraîche pour garnir

1. Au robot culinaire, réduire en purée l'oignon, l'ail, le paprika et le curcuma. Ajouter les piments et actionner de nouveau jusqu'à ce que ce soit lisse.
2. Dans une casserole, chauffer le beurre et l'huile. Cuire le mélange d'oignon à feu doux-moyen pendant 3 minutes en remuant.
3. Ajouter la crème et porter à ébullition. Ajouter les crevettes et la cassonade. Cuire à feu doux, jusqu'à ce que les crevettes soient cuites. Saler et poivrer. Servir immédiatement avec du riz ou du pain.

Salade aux tomates et aux oignons
Couper l'oignon en segments. Trancher la tomate. Saler, poivrer et garnir de coriandre fraîche.

1

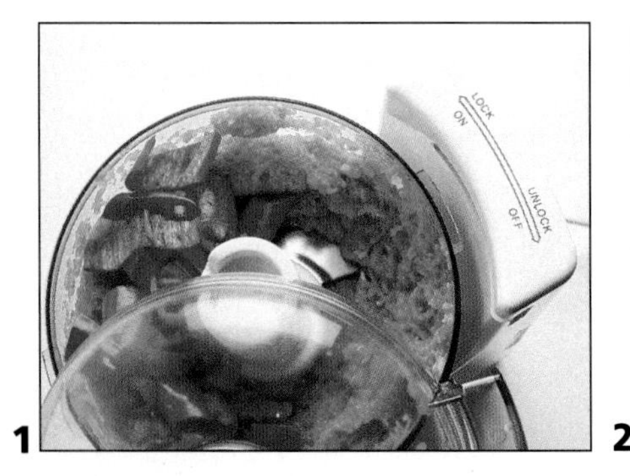

2

3

POISSON ÉPICÉ AU YOGOURT

Préparation: 10 minutes + 20 minutes de macération
Temps de cuisson: 6 à 8 minutes
Portions: 4

4 filets de poisson blanc
3 c. à table (45 ml) de yogourt nature
1 1/2 c. à thé (7 ml) de garam masala ou de cari
2 gousses d'ail, hachées finement
1/2 c. à thé (2 ml) de poudre de chili
Sel et poivre

1. Déposer le poisson dans un plat. Mélanger le yogourt, le garam masala ou le cari, l'ail, la poudre de chili, le sel et le poivre. Étendre sur les filets de poisson. Couvrir et laisser macérer 20 minutes au réfrigérateur.
2. Égoutter le poisson. Déposer dans un plat allant au four, légèrement huilé. Cuire sous le gril chaud du four environ 3 minutes de chaque côté ou jusqu'à ce qu'il soit cuit.
3. Le poisson est cuit lorsqu'il s'émiette facilement à la fourchette. Servir avec du riz nature.

1

2

3

1

2

3

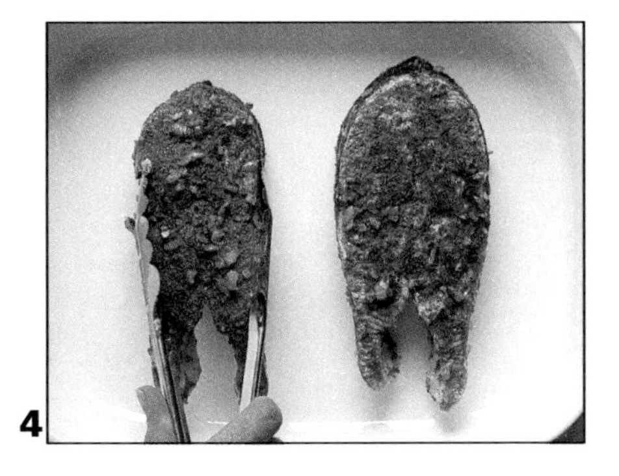

4

DARNES DE POISSON À L'INDIENNE

Préparation: 30 minutes
Temps de cuisson: 10 à 15 minutes
Portions: 4

4 darnes de poisson (saumon, thon, requin)
2 c. à table (30 ml) de coriandre moulue
1 c. à table (15 ml) de cumin moulu
1/4 de c. à thé (1 ml) de clou de girofle moulu
1/2 c. à thé (2 ml) de cannelle moulue
2 c. à table (30 ml) de jus de citron
3 c. à table (45 ml) d'huile végétale
2 oignons, hachés finement
1 c. à table (15 ml) de poudre de chili
3 gousses d'ail, hachées finement
Sel et poivre

1. Préchauffer le four à 350 °F (180 °C). Dans un bol, mélanger la coriandre, le cumin, le clou de girofle, la cannelle, le sel, le poivre et le jus de citron. Déposer le mélange sur le poisson en pressant légèrement. Réfrigérer pendant 20 minutes.
2. Dans une poêle, chauffer l'huile. Y sauter les oignons, la poudre de chili et l'ail jusqu'à tendreté.
3. Y déposer deux darnes de poisson à la fois. Saisir des deux côtés.
4. Déposer les darnes dans un plat allant au four. Terminer la cuisson au four en cuisant le poisson environ 6 minutes, à découvert, ou jusqu'à ce que le poisson soit cuit. Servir avec du riz et des légumes au choix.

À PROPOS...

L'un des plaisirs de la cuisine indienne est de goûter à la variété. Les épices sont utilisées partout et les différentes combinaisons à la fois douces et brûlantes, font de la cuisine indienne une immense variété de saveurs.

POULET TANDOORI

Préparation: 15 minutes + 4 heures de macération
Temps de cuisson: 1h20
Portions: 4 à 6

2 c. à table (30 ml) de jus de citron
1 1/2 c. à thé (7 ml) de poudre de chili
1 1/2 c. à thé (7 ml) de paprika
2 c. à thé (10 ml) de coriandre moulue
2 c. à thé (10 ml) de cumin moulu
1 c. à thé (5 ml) de garam masala ou de cari
1 c. à table (15 ml) de gingembre frais râpé finement
5 gousses d'ail, hachées finement
Sel et poivre
1/3 de tasse (75 ml) de yogourt nature
2 petits poulets (environ 1 1/2 livre (750 g) chacun)

1. Dans un bol, mélanger le jus de citron, la poudre de chili, le paprika, la coriandre, le cumin, le garam masala ou le cari, le gingembre, l'ail, le sel, le poivre et le yogourt.
2. À l'aide de ciseaux à cuisine ou d'un couteau très coupant, enlever la colonne vertébrale des poulets. Retourner les poulets et les aplatir. Faire plusieurs incisions dans la peau du poulet. Déposer les poulets sur une plaque à cuisson et les arroser de marinade en pressant légèrement pour faire adhérer. Couvrir et laisser mariner 4 heures au réfrigérateur.
3. Cuire les poulets dans un four préchauffé à 350 °F (180 °C) pendant 1h20. Servir les poulets avec des pains tels que naan ou chapatis, des segments de citron et une salade aux oignons et aux tomates.

À PROPOS...

Le poulet tandoori est un plat bien connu de la cuisine indienne. La volaille est marinée plusieurs heures dans un mélange de yogourt et d'épices, puis la cuisson se fait traditionnellement dans le tandoor, un four en argile profond chauffé au charbon de bois, sorte d'équivalent oriental du barbecue.

1

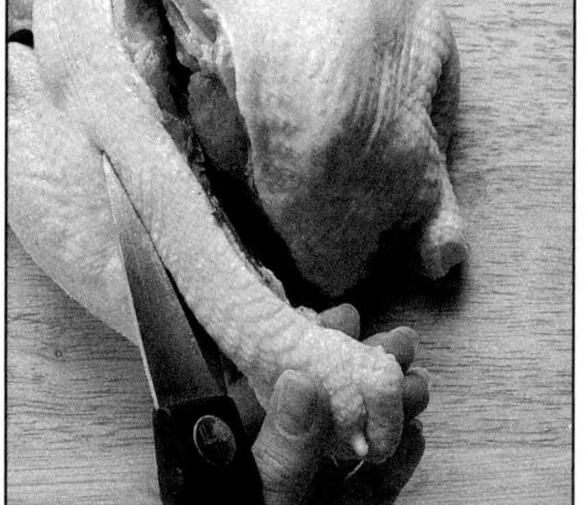

2

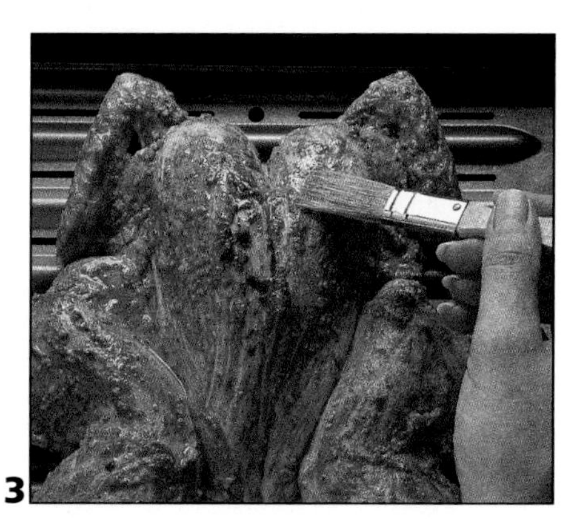

3

CARI DE POULET CRÉMEUX À LA MANGUE

Préparation: 10 minutes
Temps de cuisson: 20 minutes
Portions: 4

1 1/2 livre (750 g) de poitrines de poulet désossées et sans la peau
1 c. à table (15 ml) de beurre
1 c. à table (15 ml) d'huile
2 oignons, tranchés finement
2 piments rouges forts, épépinés et tranchés
2 c. à thé (10 ml) de gingembre frais râpé
1/4 de c. à thé (1 ml) de safran
1/2 c. à thé (2 ml) de cardamome moulue (facultatif)
1/2 tasse (125 ml) de crème 35% régulière ou 15% épaisse
Sel et poivre
2 mangues mûres ou 14 oz (398 ml) de mangues en conserve, égouttées

Raïta à la menthe

1 tasse (250 ml) de yogourt nature
1/4 de tasse (60 ml) de feuilles de menthe fraîche hachées finement
1 piment vert fort, épépiné et haché
1 c. à thé (5 ml) de gingembre frais haché finement
Sel et poivre

1. Couper le poulet en fines lanières. Dans une casserole, chauffer le beurre et l'huile. Y sauter les oignons, les piments et le gingembre jusqu'à tendreté.
2. Ajouter le safran, le poulet et la cardamome. Remuer à feu élevé pour mélanger le poulet et les épices. Ajouter la crème. Laisser mijoter pendant 10 minutes à découvert. Saler et poivrer.
3. Peler et dénoyauter les mangues fraîches. Les couper en tranches fines. Les ajouter à la casserole de poulet et poursuivre la cuisson quelques minutes, jusqu'à ce que les mangues soient chaudes et ramollies.

Raïta à la menthe - Mélanger tous les ingrédients. Servir froid.

À PROPOS...

Cuisi-truc: *Le safran peut être remplacé par du curcuma.*
Note: *La raïta est un condiment à base de yogourt qui accompagne de nombreux plats indiens. On la sert souvent avec des plats épicés pour apaiser le feu des épices.*

1

2

3

BIRYANI À L'AGNEAU

Préparation: 30 minutes
Temps de cuisson: 2 heures
Portions: 6

3 jarrets d'agneau (voir note)
8 tasses (2 l) d'eau
1 oignon, tranché
10 clous de girofle entiers
1 bâton de cannelle
1 1/2 c. à thé (7 ml) de sel
3 c. à table (45 ml) de beurre clarifié ou d'huile
2 oignons supplémentaires, tranchés finement
1 gousse d'ail, hachée
1/4 de tasse (1 ml) de poivre moulu
1/4 de c. à thé (1 ml) de cannelle moulue
1/4 de c. à thé (1 ml) de muscade moulue
3 tasses (750 ml) de riz basmati ou de riz à grains longs
1/4 de c. à thé (1 ml) de safran
1/4 de tasse (60 ml) d'eau chaude
Raisins secs et pistaches écalées pour garnir

1. Dans une casserole, déposer l'agneau, l'eau, l'oignon, les clous de girofle, le bâton de cannelle et le sel. Porter à ébullition. Dégraisser la surface du bouillon et laisser mijoter de 1 à 1h30, jusqu'à ce que la viande soit tendre. La cuisson varie selon la grosseur des jarrets. Retirer les jarrets du bouillon et laisser tiédir. Passer le bouillon dans un tamis fin. Ajouter de l'eau au besoin pour obtenir 5 tasses de liquide.

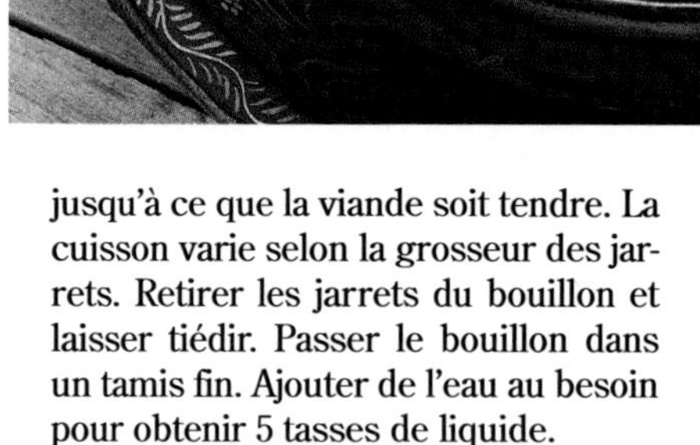

2. Dans une casserole, chauffer le beurre clarifié ou l'huile. Cuire les oignons et l'ail jusqu'à tendreté. Ajouter les épices moulues. Retirer du feu.

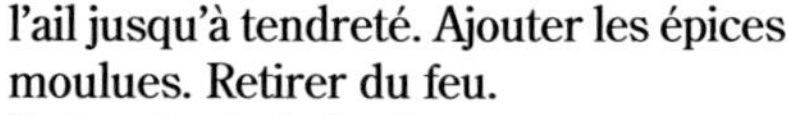

3. Retirer la chair des jarrets et couper en cubes. Dans un bol, mélanger la viande et le mélange d'oignons.

4. Déposer la moitié du riz dans une casserole et couvrir du mélange d'oignons et d'agneau. Déposer le reste du riz par-dessus. Déposer le safran dans un bol et l'écraser à la cuillère. Ajouter l'eau chaude et remuer pour dissoudre. Verser doucement le bouillon réservé et le mélange de safran dans la casserole. Porter à ébullition. Couvrir. Réduire le feu et laisser mijoter à feu très doux pendant 20 minutes. Retirer le couvercle. Remuer légèrement le riz à la fourchette. Garnir de raisins secs et de pistaches.

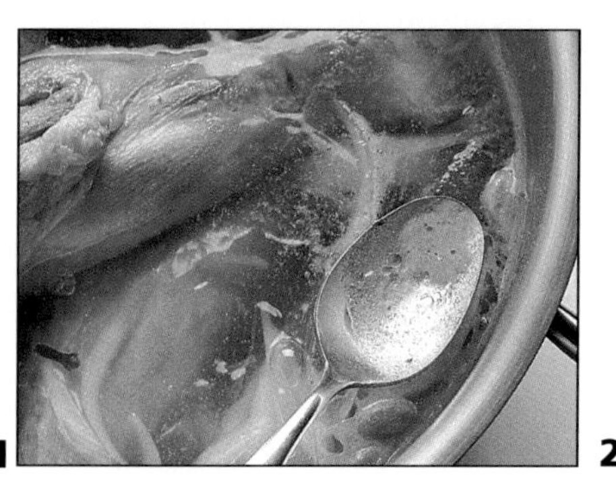
1

2

3

4

À PROPOS...

Le biryani est un plat indien à base de riz, d'épices, de viande, de crevettes ou de légumes, donnant ainsi un goût spécial au riz. Les biryanis sont garnis de fruits séchés ou d'oignons frits. Le riz basmati est une variété de riz indien. On le trouve souvent dans les supermarchés, au rayon du vrac.

Note: *Les jarrets d'agneau peuvent être remplacés par des cubes d'agneau. Cuisez-les tel qu'indiqué dans la recette mais diminuez le temps de cuisson.*

KORMA D'AGNEAU

Préparation: 15 minutes
Temps de cuisson: 50 minutes
Portions: 4

2 livres (1 kg) de gigot d'agneau, désossé et dégraissé
2 oignons, hachés
2 c. à thé (10 ml) de gingembre frais râpé
1 c. à table (15 ml) d'ail haché
2 piments séchés ou au goût
3 c. à table (45 ml) de beurre clarifié ou d'huile
1/2 c. à thé (2 ml) de curcuma
2 c. à thé (10 ml) de cumin
1 c. à table (15 ml) de coriandre moulue
1/2 tasse (125 ml) de tomates, pelées et hachées
1/4 de c. à thé (1 ml) de clou de girofle moulu

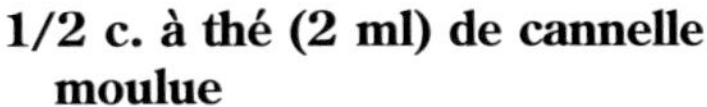

1/2 c. à thé (2 ml) de cannelle moulue
1/4 de c. à thé (1 ml) de poivre moulu
Sel
1/3 de tasse (75 ml) d'eau
1/2 tasse (125 ml) de crème 35% régulière ou 15% épaisse

Et pour accompagner...

1 oignon, tranché très finement
2 c. à table (30 ml) de vinaigre blanc
1 c. à table (15 ml) de feuilles de menthe fraîche hachées grossièrement
2 c. à table (30 ml) de yogourt nature
1/4 de c. à thé (1 ml) de sel
Poivre

1. Couper l'agneau en cubes de grosseur moyenne. Réserver. Au robot culinaire, réduire en purée les oignons, le gingembre, l'ail et les piments. Au besoin, ajouter un peu d'eau pour faciliter le mélange.
2. Dans une casserole, chauffer le beurre clarifié ou l'huile et ajouter le mélange d'oignons. Ajouter le curcuma, le cumin et la coriandre et remuer jusqu'à ce que le liquide s'évapore. Ajouter la viande et cuire à feu élevé jusqu'à ce qu'elle soit colorée de toute part.
3. Réduire le feu et ajouter le reste des ingrédients. Couvrir et laisser mijoter doucement, de 30 à 40 minutes. Remuer de temps à autre pour éviter que le mélange ne colle. Servir avec du riz (voir recette page 73) et le mélange d'oignons qui suit. Dans un bol, déposer l'oignon. Y verser le vinaigre et laisser macérer 30 minutes. Égoutter le vinaigre et rincer l'oignon deux fois sous l'eau froide. Bien égoutter. Ajouter la menthe, le yogourt, le sel et le poivre. Réfrigérer. Servir bien froid.

1

2

3

CARI DE PORC

Préparation: 20 minutes + macération toute une nuit
Temps de cuisson: 1h45
Portions: 8

3 livres (1,5 kg) de cubes de porc
2 c. à table (30 ml) d'ail, haché
1 c. à table (15 ml) de gingembre frais râpé finement
1 c. à table (15 ml) de cari moulu
1 c. à thé (5 ml) de poivre moulu
1 c. à thé (5 ml) de cannelle moulue
1/2 c. à thé (2 ml) de muscade moulue
1 tasse (250 ml) de vinaigre blanc
3 c. à table (45 ml) de beurre clarifié ou d'huile
3 oignons, hachés finement
1/2 tasse (125 ml) de jus de tomate
2 piments rouges forts, épépinés et hachés
1 c. à thé (5 ml) de sel
1 c. à table (15 ml) de cassonade

1. Déposer le porc dans un bol en verre ou en céramique. Mélanger l'ail, le gingembre, le cari, le poivre, la cannelle, la muscade et la moitié du vinaigre. Verser dans le bol précédent. Bien mélanger pour enrober la viande de marinade. Couvrir et réfrigérer toute une nuit. Égoutter le porc et réserver la marinade.
2. Dans une casserole, chauffer le beurre clarifié ou l'huile. Y cuire les oignons jusqu'à ce qu'ils soient légèrement dorés. Ajouter le porc. Cuire à feu élevé jusqu'à ce qu'il soit coloré de toute part.
3. Ajouter le jus de tomate, le reste du vinaigre, les piments et le sel. Couvrir et laisser mijoter à feu doux environ 1h30 ou jusqu'à ce que le liquide soit réduit et que la viande soit tendre. Ajouter la cassonade. Servir avec du riz.

À PROPOS...

Ce cari de porc se conserve 3 jours au réfrigérateur et 1 mois au congélateur.

1

2

3

RIZ INDIEN

Préparation: 10 minutes
Temps de cuisson: 20 minutes
Portions: 6 à 8

1 c. à table (15 ml) de beurre clarifié ou d'huile végétale
1 oignon, tranché finement
1 1/2 tasse (375 ml) de riz basmati ou de riz à grains longs
1 c. à thé (5 ml) de sel
Poivre
3 tasses (750 ml) d'eau bouillante

1. Dans une casserole, chauffer le beurre clarifié. Y cuire l'oignon jusqu'à tendreté. Retirer de la poêle et réserver. Dans le reste du beurre contenu dans la casserole, cuire le riz en remuant pendant 1 minute.
2. Ajouter le sel, le poivre et l'eau bouillante. Couvrir. Laisser mijoter à feu très doux pendant 15 minutes.
3. Retirer le couvercle. Remuer le riz à la fourchette. Déposer dans une assiette de service et garnir d'oignon. Servir immédiatement.

À PROPOS...

Un repas indien serait incomplet sans un bon plat de riz. Le basmati est une variété de riz très parfumée et appréciée des Indiens. Il est souvent disponible dans les supermarchés, au rayon du vrac. On peut le remplacer par du riz à grains longs.

1

2

3

CARI DE POMMES DE TERRE

Préparation: 10 minutes
Temps de cuisson: 15 minutes
Portions: 4

1 c. à table (15 ml) de beurre clarifié ou d'huile végétale
1 oignon, tranché finement
1/2 c. à thé (2 ml) de cari
1/4 de c. à thé (1 ml) de graines de fenouil, moulues
1/2 c. à thé (2 ml) de sel
Poivre
1/4 de c. à thé (1 ml) de curcuma
1/2 c. à thé (2 ml) de poudre de chili
1 petit piment vert fort, épépiné et haché
1/4 de tasse (60 ml) d'eau
1 c. à table (15 ml) de jus de citron
5 pommes de terre moyennes, coupées en dés de 3/4 de po (2 cm)
2 c. à thé (10 ml) de coriandre fraîche hachée ou 1/2 c. à thé (2 ml) de coriandre séchée
2 c. à thé (10 ml) de menthe fraîche hachée ou 1/2 c. à thé (2 ml) de menthe séchée

1. Dans une casserole, fondre l'oignon dans le beurre clarifié. Ajouter le cari et le fenouil moulu.
2. Ajouter le sel, le poivre, le curcuma, la poudre de chili, le piment, l'eau, le jus de citron et les pommes de terre. Couvrir. Cuire à feu doux jusqu'à ce que les pommes de terre soient cuites, soit environ 10 minutes. Remuer de temps à autre.
3. Retirer du feu. Ajouter les herbes hachées. Couvrir et laisser reposer 5 minutes. Servir avec du pain paratha (voir recette page 76).

1

2

3

DHAL DE LENTILLES ROUGES

Préparation: 5 minutes
Temps de cuisson: 45 minutes
Portions: 4

1 tasse (250 ml) de lentilles rouges sèches
2 c. à table (30 ml) de beurre clarifié ou d'huile végétale
1 oignon, tranché finement
3 gousses d'ail, hachées finement
1 c. à thé (5 ml) de gingembre frais haché finement
1/2 c. à thé (2 ml) de curcuma
2 1/2 tasses (625 ml) d'eau
1/2 c. à thé (2 ml) de sel
Poivre
1 c. à thé (5 ml) de garam masala ou de cari
Coriandre fraîche pour décorer

1. Rincer les lentilles sous l'eau froide et bien les égoutter. Dans une casserole, chauffer le beurre clarifié. Y cuire l'oignon, l'ail et le gingembre jusqu'à tendreté. Ajouter le curcuma et les lentilles. Cuire 1 minute en remuant.
2. Ajouter l'eau. Porter à ébullition. Réduire le feu à doux. Ajouter le sel et le poivre. Laisser mijoter, sans couvrir, pendant 15 minutes.
3. Ajouter le garam masala ou le cari. Poursuivre la cuisson 20 minutes, ou jusqu'à ce que les lentilles soient tendres et que le liquide soit évaporé. Décorer de coriandre fraîche.

À PROPOS...

On peut utiliser d'autres variétés de lentilles. Les lentilles rouges ont l'avantage de cuire plus rapidement. Les habitants de l'Inde du Sud sont majoritairement de religion hindoue, et par conséquent, végétariens. D'ailleurs, l'Inde connaît la cuisine végétarienne la plus variée. Les dhals, ces plats de légumineuses, sont donc très consommés.

1

2

3

PARATHA

Préparation: 30 minutes
Temps de cuisson: 10 minutes
Portions: 6

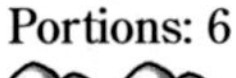

1/2 tasse (125 ml) de farine de blé entier ou de farine atta
1 tasse (250 ml) de farine
1/2 c. à thé (2 ml) de sel
3 c. à table (45 ml) de beurre clarifié ou de beurre mou
1/2 tasse (125 ml) d'eau
2 c. à table (30 ml) de beurre clarifié supplémentaire ou de beurre mou

1. Dans un bol, tamiser les farines et le sel. Faire un puits au centre. Y verser 1 c. à table (15 ml) de beurre clarifié et l'eau. Mélanger jusqu'à l'obtention d'une pâte molle. Pétrir rapidement sur une surface légèrement farinée. Abaisser en un rectangle de 24 x 12 po (60 x 30 cm). Badigeonner du reste de beurre et rouler la pâte comme un gâteau roulé. Couper en 6 portions.
2. Pincer les extrémités des morceaux de pâte pour sceller le beurre à l'intérieur. Fariner légèrement la surface de travail et le rouleau à pâte. Abaisser chaque boule de pâte en un cercle de 6 po (15 cm) de diamètre. Saupoudrer de farine.
3. Chauffer une poêle à feu moyen. Y chauffer un peu de beurre clarifié supplémentaire ou de beurre mou. Cuire les cercles de pâte, un à la fois, en pressant légèrement avec une spatule pendant la cuisson pour les encourager à gonfler. Cuire environ 1 minute de chaque côté ou jusqu'à ce que cela soit doré. Servir avec des caris de viande, des brochettes, des plats en sauce ou des trempettes.

1

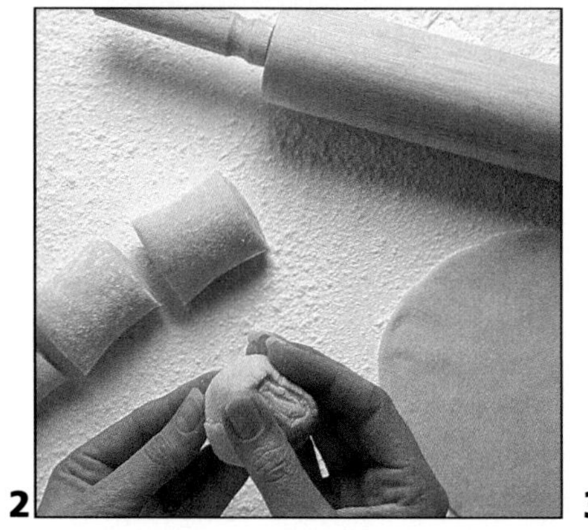

2

3

CRÈME GLACÉE À LA MANGUE ET AUX PISTACHES

Préparation: 15 minutes
Temps de cuisson: 5 minutes + congélation
Portions: 4

2 tasses (500 l) de lait
1 mangue fraîche et bien mûre
1/4 de tasse (60 ml) de sucre
1/2 tasse (125 ml) d'eau
1/4 de c. à thé (1 ml) de safran
1/2 c. à thé (2 ml) de cardamome moulue
1/3 de tasse (75 ml) de sucre supplémentaire
3/4 de tasse (175 ml) de crème 35 % régulière ou 15 % épaisse
1/4 de tasse (60 ml) de pistaches écalées et mondées, hachées (voir note)

1. Dans une casserole, faire chauffer le lait à feu moyen pendant 5 minutes.
2. Peler, dénoyauter et couper la mangue en cubes. Dans une autre casserole, porter le sucre et l'eau à ébullition. Ajouter la mangue et laisser mijoter 1 minute.
3. Ajouter le safran, la cardamome et le sucre supplémentaire au mélange de lait. Remuer. Ajouter la mangue et le sirop, la crème et les pistaches. Mélanger et laisser refroidir. Transférer le mélange dans une sorbetière et turbiner selon les indications du fabricant. À défaut de sorbetière, verser le mélange dans une plaque métallique peu profonde et froide. Déposer au congélateur. Congeler jusqu'à ce que ce soit à moitié pris. Battre au batteur électrique. Congeler à nouveau. Répéter cette opération deux à trois fois pour obtenir une belle texture.

À PROPOS...

Pour monder les pistaches, c'est-à-dire les débarrasser de leur pelure, il suffit de les frotter sous l'eau chaude.

1

2

3

CRÈME PARFUMÉE À L'INDIENNE

Préparation: 10 minutes
Temps de cuisson: 35 minutes
Portions: 6

3 tasses (750 ml) de lait
1 1/2 tasse (375 ml) de carottes râpées
1/3 de tasse (75 ml) de raisins secs
1/2 tasse (125 ml) de sucre
1/4 de c. à thé (1 ml) de cannelle moulue
1/4 de c. à thé (1 ml) de cardamome moulue
1/3 de tasse (75 ml) de crème 35% régulière ou 15% épaisse
2 c. à table (30 ml) de pistaches écalées et mondées, hachées
1 c. à thé (5 ml) de fécule de maïs délayée dans 2 c. à thé (10 ml) d'eau

1. Dans une casserole, faire chauffer le lait à feu moyen. Brasser le lait jusqu'à ce qu'il commence à bouillir. Réduire le feu et laisser mijoter 10 minutes. Remuer de temps à autre pour éviter qu'il ne colle.
2. Ajouter les carottes et les raisins. Poursuivre la cuisson 15 minutes.
3. Ajouter le sucre, la cannelle, la cardamome et la crème. Cuire en remuant jusqu'à ce que le sucre soit dissous. Ajouter la fécule de maïs en remuant. Brasser jusqu'à ce que cela épaississe légèrement. Servir chaud dans des petits bols. Saupoudrer de pistaches.

À PROPOS...

Pour monder les pistaches, c'est-à-dire les débarrasser de leur pelure, il suffit de les frotter sous l'eau chaude. Pour libérer tout l'arôme des graines de cardamome, il faut retirer leurs capsules juste avant de les utiliser.

1

2

3

1

2

3

4

FLAN INDIEN

Préparation: 20 minutes
Temps de cuisson: 40 minutes
Portions: 6

2 bâtons de cannelle
1 c. à thé (5 ml) de clous de girofle entiers
1 c. à thé (5 ml) de muscade moulue
1 tasse (250 ml) d'eau
1 tasse (250 ml) de crème 35%
1/2 tasse (125 ml) de cassonade
1 tasse (250 ml) de lait de coco en conserve
3 oeufs, légèrement battus
2 jaunes d'oeufs, légèrement battus

1. Préchauffer le four à 325 °F (160 °C). Dans une casserole, déposer les épices, l'eau et la crème. Porter à ébullition. Réduire le feu à très doux et laisser mijoter pendant 5 minutes pour permettre aux épices de libérer leurs arômes. Ajouter la cassonade et le lait de coco. Remuer jusqu'à ce que la cassonade soit dissoute. Passer le lait dans un tamis fin.
2. Dans un bol, fouetter les oeufs et les jaunes d'oeufs. Verser le lait filtré sur les oeufs. Mélanger en fouettant.
3. Verser dans 6 ramequins d'une contenance de 1/2 tasse (125 ml) chacun. Déposer dans un plat allant au four. Verser de l'eau chaude dans le plat pour atteindre le milieu des ramequins. Cuire au four pendant 30 minutes.
4. Pour vérifier la cuisson, insérer un couteau au centre d'un des ramequins. Le flan devrait être légèrement ferme. Servir froid.

À PROPOS...

À défaut de bâtons de cannelle et de clous de girofle entiers, utilisez des épices moulues. Ces flans se conservent pendant 3 jours au réfrigérateur, recouvert d'une pellicule de plastique

INDEX

LA CUISINE CHINOISE

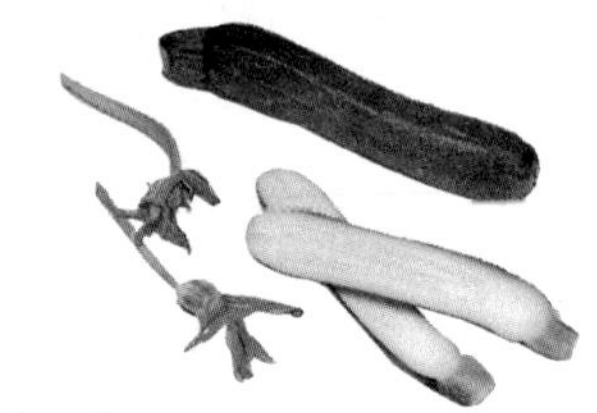

LA CUISINE DU SUD-EST ASIATIQUE

LA CUISINE INDIENNE